How are all the Folks ?

I shall be home Thursday if nothing happen

The dogs leg was set today. he had to be etherized
we had a hard time with him. Love to all
From your loving sister Carol

Where I spend most of my time
will write soon

yes I am in favor of selling
the two lots in Kenyora a it is
only an expense to keep them

Suppose you know he was married yesterday?

We are keeping
house
Wish you could come up here
to see us next summer

I dont hardly know where to send this as you dident
give an address and this
I'LL WRITE MORE next time

have you any snow down there we have a little
enough to keep the train snow bound once a week
Had a dance in for New Years Eve had a dandy time you aught to been

THIS PICTURE

was taken just beyond Jen Mcaffee's farm
The next day she came
up with the little one

We have a lawn party

This mill gives some idea of the appear-
ance of
the country in the strip over which the tornado passed.
on this FARM alone about $6500

DAMAGE was done in A FEW SECONDS.

The storm

was at this time crossing the country just a

mile north of our place.
It veered to the south east
and just passed to the east not a quarter of a
mile from our buildings, he did no damage to us.

The wind did not blow very hard even as close AS WE WERE.

Do you recognize this?

how do you like this post
card come down when you can with love

I haven't heard from you for some time so thought you had
went out of EXISTENCE
I here send you a picture of Mama.

I suppose you recognize her and the old hotel
How were those pictures you took
of us and our home?
I hope they
were good. Mama says she
is waiting to hear from you

Heavy red mud
for miles-old motor running
We start our day at 4:30
and turn in at 8:30 — NEXT STOP Atlanta + then California

why cant you comc up ncxt month? I'd love to have you
Lena said that Mrs. D. Ryan
told her P. L. was to marry some one out in Kalispell.
I was not to tell you must not tell either. Maybe
it is ONLY RUMOR.

«Me Amore» I have not received A WORD from you
except thru Joe since I got home. The only picture,
looks just like the little rascal. Wish you would
teach Peanut manners as
regards writing
POSTALS.

THE CROSS IS MY COUSIN x

Very sorry to know you allowed your state to go Democratic.
Maine surely set a bad example.

Wish
I could see it
WILL WRITE LATER. Here's one I picked up
at Belviderethen I can drive down some Saturday night
and see you You know

we had to kill our colt.

Who she is there? Are you taking first in every-
thing? Have a good time, my
girlie, and let me know about your coming this
week

Monday we begin processing and packing.

Next to the hay barn is the cow
stable and next is the CHICKEN COOP
and next the pig pen,
they are all
found together.

This view is some of my stock. I have 50 like them and expect to get
8¢ pound next spring.

I have some money standing out for TWO DANCES
and don't know whether I will get
it or not before I leave and if I don't I will be up against it.
Can you send me $10
or have Pa do it so

We ship in car load lots.
Our freight bills some weeks amount to $400

Life is busy,
but a card is EASY TO SEND.

I will get it by thursday.

The Old
Spring.
One of my
OWN MAKE
of post cards.

why don't you write. Ma is looking for a letter
every day.
The New Red Barn

John seems to taken this
at an angle as the roof   looks CROOKED
but it is a dandy little barn containing
2 double stalls and one single one
It is PAINTID RED and shows up
pretty good.

On the left is the old hay   barn when the roof was taken
off proved too rotten to hold a new roof

What do you think of this PICTURE ?
This is our room.
Turned everything up side down
was not any of us drunken 2 but made
believe we was.

I am still on earth and have not forgotten you.
I heard of Ezra's death

but it was so
I could not attend   the funeral.

This last 5 years has been a   'BITTERDOSE'   to me
I guess I needed it for my   spiritual condition but I don't
ever expect to get the taste out of   my mouth

Can't see as I'm much better but
maybe i am...

Wayland to Cohocton

This is where I made my money.

CREAMERY
RAPIDAN, MINN.

REPAIRING
BOAT BUILDING
SAW FILING

X Cave in Killed 2 men / inside of mine good picture.

DRY HOLE

723
RABBITS
1 WOLF
2 OPOSS
7799. Rabbit Hunt, Hoxie, Kansas

Hunting Snipes at W.S.C.

Dry Goods Co.
Trout caught in Wyoming.
Meyers photo, Rawlins

G.H.N.
8140
4019

ROSEBERG
NATIONAL BANK
INTEREST PAID ON SAVINGS ACCTS.
SAFETY DEPOSIT BOXES
BURCHARD'S
LADIES READY-TO-WEAR for
Use, Beauty and Comfort
THE STYLE CENTER of ROSEBERG
DOUGLAS NATIONAL
BANK
C.D.THOMAS
PHOTO
R. Koller
STAGE = ANTLER THEATRE ROSEBURG OR.
Xmas TIME 1916

OOKS,
Stationery,
ND OILS.
ASS ETC.
COMEDY-MUSIC

OUR FATHER WHICH ART IN
(THE) HEAVEN(S)
2nd HEAVEN
1 HALLOWED
LIGHT
2 THY KINGDOM COME
LOVE
3 THY WILL BE DONE
LIFE
FORGIVE US OUR
GIVE US THIS
DAILY BREAD
KINGDOM - LOVE
POWER - LIFE
GLORY
AMEN.

21
THAT CHRISTY SHOW
THAT CHRISTY SHOW
THAT CHRISTY SHOW

5¢ DAINTY 5¢
MORSELS 5¢
Baby Ruth
MR.GOODBAR

THE OLD MOS
ANTI

BOYNTON & ELLIS.
HARDWARE & COAL.
STANDARD SHOE STORE.

SUNNY MONDAY
COWAN'S
PERFECTION
COCOA
ABSOLUTELY PURE

ROOKS
TIN ShoP

CHASE'S HOME BAKERY.

WAKE BROTHERS.
LADIES & GENTS
FURNISHINGS
CLOTHING

Broshvale JULY 4th
P&Q

CLOSED
WE ARE POSITIVELY GOING OUT OF BUSINESS
ENTIRE 18000.00 STOCK WILL BE SACRIFICED
STORE WILL OPEN THURSDAY OCT. 17 AT 9 A.M.
EVERYTHING MUST BE SOLD AT ONCE
CHANCE OF A LIFETIME TO GET BARGAINS
REMEMBER THE DATE DON'T MISS THE SALE

SHOE POLISHES

ILLINOIS STATE ROAD NO.
SHELDON ILL.

GRYGLA MINN

THE
MORTGAGE
LIFTERS.
E.A. LEE.
ELSIE.
MICH.

GROWN BY
W.W. DE VEAUX
NACHES RANCH.
WEIGHT 8 POUNDS.

A FEW BARRON CO. APPLES
EXHIBITED AT BARRON STREET FAIR 1912

SUPERIOR, NEB.
AUCTION SALE ON THE FARM.

"Rooster Andy."

THE BOOSTERS' CIRCUS.
TEDDY BEARS
Children are Delighted
TEDDY BEARS

David Thomson

Les cartes photo interpellent, sur Internet, à partir d'un flux continu de listes infinies d'images, générées par mots-clés, noms de vendeurs ou tout simplement en utilisant l'acronyme « RPPC ». Mon regard s'arrête sur des éléments, outrepassant des compositions extraordinaires ravagées par le temps et ne ressemblant plus qu'à des fantômes. Cet exercice nourrit cette quête insatiable afin de dénicher des exemplaires qui touchent à notre sensibilité.

J'ai consacré de longues heures à la découverte de photographies depuis mon plus jeune âge. Les aléas de cette recherche permettent à l'esprit de vagabonder plus loin dans les pensées déclenchées par les images, ou de se perdre dans la rêverie. Le monde numérique favorise des connexions fabuleuses. On cherche à se perdre. La curiosité suit son cours de façon incontrôlée, plutôt que de se lancer dans la conquête du spécifique. Le sentiment de satisfaction qui accompagne la découverte d'une RPPC enivrante est immense.

L'image est souvent infiniment plus éloquente quand on a la carte photo en main. Les tonalités, la définition et toutes les qualités tactiles et sensorielles s'expriment alors bien au-delà de celles perçues à travers un écran. L'évidence des sentiments entre l'expéditeur et le destinataire, même imaginés, apparaît à nos yeux. La graphie de l'écriture au crayon ou au stylo ajoute à l'intimité, tandis que l'orthographe phonétique insuffle une touche poignante. Je m'interroge sur la distance parcourue et la rapidité d'exécution entre une pensée tendre, une photographie et un bureau de poste. Toute une palette d'émotions s'exprime, tandis que les individus aspirent à la communion. Dans de rares cas, des marques sont placées sur la composition afin d'identifier l'expéditeur, de souligner une observation reprise dans le texte, ou encore laissées sans explication pour un destinataire si familier. Les versos, avec leurs nuances d'impression, cachets postaux encrés et timbres colorés, ajoutent une touche supplémentaire à la magnificence esthétique.

Mon voyage au royaume des RPPC est envoûtant. Un collectionneur que j'estime m'a confié un jour son désir de contempler ses cartes photo préférées, car le jour de sa fin se rapproche. Le sentiment d'humanité nous unit tous. Nous nous rapprochons de mondes disparus dont le souvenir reste. Ces univers recèlent le fil de l'existence. Mon père racontait régulièrement des histoires sur la Grande Dépression. Les photographies sans légendes l'intriguaient et l'incitaient à imaginer toutes sortes de récits. Le passé collectif vibre en nous, tandis que les histoires perdues réveillent des cordes sensibles inconnues. La perspective de tisser davantage de liens humains est tout simplement irrésistible. Les RPPC offrent une dimension à cette démarche.

David Thomson

The RPPCs beckon from a seemingly endless stream of listings online in rows, drawn forth by search term, seller's name or simply "RPPC". The eye settles upon elements, bypassing extraordinary compositions ravaged by time and ghost like. The latter only fuel a quest to unearth those examples that touch a nerve.

I have devoted countless hours to searching for photographs since youth. The process allows the mind to wander deeper into thoughts, sparked by the images or lost in reverie. The digital realm enables miraculous connections to be effected. One seeks to become lost. Curiosity run amok, rather than chasing the specific. The inner fulfillment in finding a beguiling RPPC is immense.

The object often reveals infinitely more in the hand. Tonal value, definition and all those tactile qualities are only imbibed far beyond any screen. The sentiments between sender and recipient, even imagined, lie before one. The shape of script in graphite or pen resonates, and phonetic spelling adds poignancy. I wonder at distance covered and speed of execution, between a tender thought, photograph and post office. Every facet of emotion splays forth as individuals seek communion.

In rare instances marks are placed upon the composition to indicate the sender, an observation within the text or without explanation for a familiar recipient. The verso with variants of printed form, post office markings or stamps add a further aesthetic lustre.

My journey within the RPPC realm spellbinds. An esteemed collector once stated his desire to gaze at his favourite RPPCs as the lights dim. The human spirit binds all of us. One draws closer to lost worlds that continues to persist. The threads of existence are strewn within.

My father relayed a tale of the Great Depression on most days. Photographs without inscriptions would intrigue, prompting him to imagine possibilities. We surely sense the collective past as lost narratives touch unknowing chords. The prospect of finding further human connection is simply irresistible. RPPCs offer yet one dimension in doing so.

Luce Lebart

Je t'écris vite

Photos postales du « nouveau » monde

Une route en terre qui file vers le lointain tandis que deux têtes hirsutes émergent d'un champ de maïs. Un tas de bois, une diligence tirée par un cheval, des tranchées et des trous que l'on creuse pour installer rails et canalisations, mais aussi pour planter, semer, récolter, et exploiter cette terre colonisée. La mine, la pêche et les trophées de chasse, mais aussi les désastres, inondations, incendies, tornades. Et au cœur de cette iconographie, la maison et son perron, sa cuisine et sa chambre, la grange, le poulailler, les champs et les pommes de terre qui abondent ainsi que la rue principale, la boutique, l'échoppe du forgeron, celle du cordonnier, et puis, le bureau de poste, et enfin, le photographe...

C'est dans les méandres de la vie quotidienne des villages et des campagnes d'Amérique du Nord au début du XXᵉ siècle que nous entraînent ces centaines de photographies issues d'un registre insolite : les *real photo postcards (RPPC)*[1]. En français, on les appelle « cartes photo[2] ». Ce sont des images hybrides, à mi-chemin entre photographie traditionnelle et carte postale. Les tirages originaux ne sont pas des images imprimées en série mais des vraies photographies, artisanales, qui ont été obtenues d'après un négatif argentique développé dans des bains chimiques. Leur verso, comme celui des cartes postales traditionnelles, comporte un espace pour y apposer un timbre et une adresse.

Envoyer une image de chez soi, une photographie que l'on a faite soi-même ou dont on a fait l'acquisition auprès d'un photographe de passage ou de celui

Will Write Soon

Real photo postcards from the "new" world

A dirt road extends into the distance, as two bristly heads poke from a cornfield. We see a pile of root wood, a horse-drawn buggy, trenches and pits dug for railways and pipelines, or to plant, sow, and reap the harvest of this colonized land. Mines, hunting and fishing trophies, but also accidents and natural disasters, floods, wildfires, tornadoes. At the heart of this iconography is the house and its doorstep, its kitchen and bedroom, barn, chicken coop, fields rich with potatoes; and also the town and its main street, store, blacksmith's shop, cobbler's stall, post office, and, finally, the photographer...

The hundreds of photographs gathered here—all issued from the peculiar category of the "real photo postcard" (RPPC)—lead us into the meanderings of day-to-day life in the towns and countryside of North America at the turn of the twentieth century.[1] In French they are called cartes photo.[2] They are hybrid images, halfway between traditional photographs and postcards. The original prints were not mass-produced images but real artisanal photographs produced from silver-gelatin negatives developed in chemical baths. On the back, like traditional postcards, there is a space to put a stamp and an address.

Sending an image from home, a photograph one had taken oneself or bought from an itinerant photographer or the town picture studio, was a practice that enjoyed extraordinary

du village… Cette pratique, connaît un engouement populaire extraordinaire entre 1905 et la fin des années 1930, en particulier dans les zones rurales de l'Amérique profonde. Ce boom de la carte photo est triplement favorisé, par la simplification de l'accès à la pratique photographique, par la modernisation et la gratuité des livraisons postales, et enfin, par la baisse remarquable des coûts d'envoi.

On raconte que la carte postale descendrait tout droit de l'enveloppe illustrée *(picture envelope)*. C'est le 27 février 1861 que les envois postaux de cartes privées sont pour la première fois autorisés par le congrès américain. Une décennie plus tard, en 1873, apparaissent les premières cartes postales officielles, qui, produites par le gouvernement, bénéficient de frais d'envoi défiant toute concurrence. Ceux-ci sont en effet deux fois moins élevés que ceux des cartes privées. Le verso des cartes, privées ou publiques, est alors entièrement dédié à l'adresse. L'année 1898 marque une avancée : le coût d'envoi des cartes privées est divisé par deux et la mention « carte postale privée » devient de mise. Au dos des images, la mention « Ce côté est exclusivement réservé à l'adresse » rappelle l'interdiction. Un tournant est pris en 1901, lorsque le Private Mailing Card Act autorise l'envoi par tout un chacun de cartes postales personnalisées au prix modique de 1 penny. Le terme « carte postale » remplace désormais officiellement celui de « carte postale privée ». Le dos des cartes est encore indivisé et les messages interdits au verso.

Le changement s'opère en 1907, avec l'adoption, par le Congrès postal universel, de la loi autorisant les messages sur la moitié gauche du dos des cartes. Avant cette date, et quand seule l'adresse était tolérée, les messages étaient écrits directement sur l'image et plus généralement dans ses marges, sur ses côtés, ou bien autour d'elle,

popularity from 1905 to the late 1930s, particularly in the rural regions of America's heartland. This photo postcard boom was helped along by three events: increased accessibility to the practice of photography, free rural delivery, and finally, a substantial decrease in overall postage rates.

It is said that the postcard descended directly from the picture envelope. On February 27, 1861, postal delivery of private cards was first authorized by the US Congress. A decade later, in 1873, the first official postcards appeared, produced by the government and benefiting from postal rates that defied competition. These rates were half those of private cards. The back of the cards, whether public or private, was now entirely dedicated to the address.
In 1898 there was an important development: the rate for sending a private card was halved and the words "private mailing card" were required. On the back of the images, the words "This side is exclusively for the address" served as a reminder. The year 1901 was a turning point, as the Private Mailing Card Act authorized anyone to send personalized postcards for the modest price of one penny. Thereafter, the word "postcard" officially replaced "private mailing postcard." The backs of the cards were still undivided and messages on the back were forbidden.

This would change in 1907, when the Congress of the Universal Postal Union adopted a law authorizing messages on the left half of the back of the cards. Before this, when only the address was allowed, messages were written directly on the image, generally in the margins or near them, especially in the case of photo postcards. It was in the context of this tension,

en particulier quand il s'agissait de cartes photographiques.

C'est dans ce contexte de réunion comme de tension entre l'écrit et l'image que s'invente alors, autour des photographies et à partir d'elles, toute une palette de correspondances entre les images, les mots et une génération de colons qui, venus d'Europe ou migrant d'est en ouest, s'installent et travaillent dans les zones rurales des États-Unis[3].

« Waiting for U »

Postée le 30 novembre 1906 depuis le petit village d'Ansonia, dans le comté de Darke, à l'ouest de l'Ohio, une carte photo **(fig. 1)** s'apprête à parcourir plus de 2 000 kilomètres à vol d'oiseau pour rejoindre le Colorado. Il est 16 heures, heure de la levée postale, le dos de la carte photographique vient d'être tamponné **(fig. 2)**. Le nom et l'adresse du destinataire – « Mrs H. Wolf, 1820 Hill Street, Boulder » – apparaissent sous le timbre et les mentions d'usage « Côté réservé à l'adresse » et « Carte postale ». Au premier plan, des rails courent vers l'horizon. Ils convergent non pas vers l'infini mais vers un train en marche qui les croise perpendiculairement. Sa locomotive à vapeur – puissante irruption technologique dans ce petit village de campagne – crache une fumée opaque. On croit entendre son vrombissement. À droite de la photographie, deux centimètres de papier laissé vierge ont fourni assez d'espace pour quelques mots manuscrits, qui, rédigés verticalement, disent avec pudeur l'attachement porté par l'auteur de cette carte à sa destinée lointaine : « Train sur la ligne Big 4. Il croise le Chemin de fer du nord de Cincinnati. À Ansonia, Je vs attends. W. S. Duncan. »

Ces quelques mots sans fioritures sont bien à l'image de ceux qui jalonnent les

this encounter between word and image, around the photographs and as a result of them, that an abundant and varied range of correspondence arose out of the images and words of a generation of settlers, either migrating from Europe or going West, who put down roots and worked in the rural areas of the United States.[3]

"Waiting for U"

Posted on November 30, 1906, from the little town of Ansonia in Darke County, Ohio, a photo postcard (**fig. 1)** is about to travel over a thousand miles or more, as the crow flies, to arrive at its destination in Colorado. It is 4 p.m., the hour when the mail is collected, and the back of the card has just been postmarked **(fig. 2)**. The name and address of the recipient—"Mrs H. Wolf, 1820 Hill Street, Boulder"—appears under the stamp and the words "This side for the address" and "Post card." In the foreground, railroad tracks head for the horizon. They converge, not toward infinity, but toward a moving train that crosses them at a right angle. A steam locomotive—a powerful technological eruption in this tiny country town—spews thick smoke. You can almost hear the chugging of the engine. At the right of the photograph, a little less than an inch of white paper has left enough room for a few handwritten words, which, written vertically, modestly express the author of the card's attachment to its distant recipient: "Train on Big 4 At Ansonia While crossing Cincinnati Northern Railroad, Waiting for U. W. S. Duncan."

These simple, sparse words reflect the phrases one finds throughout the private correspondence of the photo postcards. Linked to images of daily life,

fig.1 *Railroad Depot and Tower,* Ansonia, Ohio, USA, 30 November 1906.

fig.2 *Railroad Depot and Tower,* Ansonia, Ohio, USA, 30 November 1906.

correspondances privées des cartes photo. En lien avec des images du quotidien et plus particulièrement de « chez soi », s'y expriment l'attente d'êtres proches, comme le désir de se voir ou de se revoir : « Maman envoie ses meilleures salutations et dit qu'elle t'attend » ; « Tu reviens quand ? » ; « Venez nous rendre visite ».

Fondé en 1845 et entouré de terrains marécageux et boisés, le village d'Ansonia se développe avec l'arrivée du chemin de fer en 1852. Les véhicules, ainsi que les voies, les rails, routes et chemins, facilitent et accélèrent les déplacements. Qu'ils appartiennent au siècle passé ou relèvent d'innovations technologiques, ils font tout autant partie des motifs régulièrement photographiés et partagés sous forme de cartes photo. Ils relient individus, villages, villes, comtés et États. Comme les moyens de transport et leurs infrastructures, les cartes photographiques rapprochent potentiellement les individus les uns des autres, créent et entretiennent du lien et rassemblent des communautés. Parallèlement et en connexion directe avec le réseau ferroviaire et routier, celui du service postal se modernise et s'amplifie.

Instauré pour la première fois en 1896, le Rural Free Delivery (RFD), c'est-à-dire le principe de livraison gratuite du courrier, facilite sa réception à domicile ou près de chez soi dans les zones les plus reculées. Cette mesure fait suite aux nombreux appels émanant de la population rurale américaine, représentée en particulier par des associations de *farmers*. À coup de pétitions répétées, ils réclament au législateur un traitement égalitaire du courrier dans les villes et les campagnes. Ils militent aussi pour la gratuité des livraisons postales pour les ruraux. Par la loi de 1902, le principe de livraison rurale gratuite devient permanent, c'est-à-dire universel. Quatre ans plus tard, en 1906,

and more particularly, a sense of home, they convey the wait to see their loved ones, the desire to see each other again. "Mama sends best regards and says she is waiting for you."; "When will you be back?"; "Come and see us."

Founded in 1845 and surrounded by marshland and woods, the town of Ansonia developed with the arrival of the railroad in 1852. Vehicles, along with the streets, railroad tracks, routes, and byways that came with them, made getting around easier and faster. Whether they belonged to the last century or were new technological innovations, these vehicles were regularly photographed and shared as photo postcards. They linked individuals, towns, cities, counties, and states. Like the modes of transportation and their infrastructures, the photo postcards could bring individuals closer together, creating and maintaining connections and communities. In parallel, and directly connected to the road and rail networks, the postal service modernized and expanded.

First established in 1896, Rural Free Delivery (RFD) made it easier to receive mail at or close to home in the most remote rural areas. This measure was the result of numerous calls from the American rural population, often represented by farmers associations. Repeatedly, they submitted petitions to government officials, demanding equal treatment regarding mail delivery in the country and the city. They also campaigned for free delivery in rural areas. In 1902, legislation made the right to free rural postal delivery permanent. Four years later, in 1906, RFD became RD (Rural Delivery) and the word "Free" was dropped. It had become superfluous, as the right to free delivery had been

le RFD devient le RD (Rural Delivery) et le terme « gratuit » est supprimé. Il est devenu superflu, le principe de gratuité étant alors définitivement admis. En date du 30 juin 1900, on dénombrait 1 214 routes postales, un nombre qui double six mois plus tard pour atteindre 2 551. Cinq ans plus tard, en 1905, ce sont plus de 27 000 routes postales rurales qui sont en service, un chiffre qui augmente régulièrement au rythme de 800 par mois, pour finalement atteindre 40 000 en 1909[4].

Sur le terrain, les livraisons sont fréquentes et rapides, ce dont témoignent les cachets postaux au dos des cartes photographiques. Ainsi, une carte envoyée d'un village à l'autre pouvait y parvenir le jour même ou le lendemain. À un moment où les foyers américains sont loin d'être tous équipés de téléphone, les cartes photo deviennent les liens visuels et verbaux entre ceux qui vivent loin des grandes villes et loin les uns des autres.

Les messages courts et souvent écrits à la hâte nous disent la rapidité de ce nouveau moyen de communication, qui semble presque instantané et bien à l'image de ce qu'est devenue la photographie en ce début de XXe siècle (plus pratique, plus rapide et moins chère). Ainsi, on s'envoie une photographie pour se dire qu'on arrivera le lendemain ou le jour suivant, « si tout va bien » ; ou bien on informe que l'« on est bien rentré, je reviens la semaine prochaine ». Certains détails partagés du quotidien disent l'immédiateté de la correspondance, qui se rapproche plus d'une conversation orale qu'écrite, du type de celles qui seront possibles plus tard grâce au téléphone : « Je serai de retour jeudi si tout se passe bien », « Je pense rentrer demain soir et je suis impatient », « On viendra chez vous dimanche », « Ça fait cinq jours qu'on est arrivés et on se sent bien chez nous », ou encore « J'ai reçu ta carte il y a cinq minutes ».

definitively adopted. On June 30, 1900, there were 1,214 postal routes, a number that doubled six months later to 2,551. Five years later, in 1905, there were more than 27,000 rural postal routes in service, a figure that increased regularly at the rate of 800 per month, to eventually reach 40,000 in 1909.[4]

On the ground, deliveries were frequent and rapid, as proved by the postmark on the back of the photo postcards. A card sent from one town to another could get there the same or the next day. At a time when American homes were far from being equipped with telephones, photo postcards became visual and verbal links between those that lived far from the big cities, and far from each other.

The short messages, often written in haste, indicate the rapidity of this new means of communication, which seemed almost instantaneous—just like photography, which at the beginning of the twentieth century had become more practical, faster, and less expensive. Thus, people sent photographs to say that they would arrive the next day or the day after "if all goes well," or to let someone know that they "just got home, will come back during the week." Certain details shared from daily life speak to the immediacy of the correspondence, which began to resemble an oral conversation more than a written one, prefiguring what would later be possible thanks to the telephone. "I shall be home Thursday if nothing happens"; "I expect to be there tomorrow night and can hardly wait"; "We are to come over to your folks Sunday"; "It is only five days since our coming here but we are already in our home and comfortable," and even, "Just received your letter five minutes ago."

« Bureau de poste »

« Post office ». Ces mots sont peints en lettres majuscules blanches sur le toit d'un baraquement de fortune **(fig. 3)**, une construction en bois posée à même le sol en terre battue. Sous l'appentis et à quelques mètres d'écart l'un de l'autre, un homme et une femme – deux employés du service postal ? – ont pris une pose improvisée. La photographie a été réalisée depuis la rue principale, Main Street, d'une petite bourgade d'Amérique rurale. On imagine bien le photographe qui, passant par là, entre dans ce bureau de poste et propose aux employés de les photographier, dehors, car la lumière y est plus propice. Les voici dans la rue principale. L'appareil les attend, fixé sur son pied de bois Le photographe vient d'appuyer sur le déclencheur. La photo prise, il a développé le négatif, l'a fait sécher et en a préparé un tirage qu'il leur a apporté le lendemain, probablement en échange de quelques sous. En ont-ils fait l'acquisition ? Est-ce le bon scénario ? Difficile de le dire, car aucune autre information ne vient compléter cette image, si ce n'est l'inscription *« Postcard »* sur son dos vierge, divisé en deux parties (adresse et message). Cette division indique que la carte photo a été produite après 1907, pendant la période dite des « dos divisés », qui voit la popularité des cartes postales atteindre son apogée (entre 1907 et 1915 et au-delà). Cette popularité est bel et bien augmentée par le succès des cartes photographiques. En 1903, soit cinq ans après l'introduction des *private mailing postcards*, aux États-Unis, environ 7,5 millions de cartes postales ont été envoyées. En 1906, les cartes postales à 1 penny, et parmi elles les cartes photo, ont généré une augmentation de 35 % du volume du courrier envoyé par voie postale dans le pays[5].

"Post office"

"Post office." These words are painted in capital letters on the roof of a makeshift building **(fig. 3)**, a wooden structure set directly on packed dirt. Under the awning and a couple of meters from each other, a man and a woman—probably two postal service employees—have improvised a pose. The photograph was taken from Main Street in a tiny rural American town. It is easy to imagine the photographer passing by, going into the post office and proposing to take a photograph of the employees, outside because the light is better. And there they are on Main Street. The camera waits for them, fixed on a wooden tripod. The photographer pushes the shutter release. The photo taken, he develops the negative, dries it, and makes a print that he brings them the next day, probably in exchange for a small fee. Did they receive the photograph? Is this the right scenario? Hard to say, as there is no information on the image, except the word "Postcard" on the back, which is divided into two blank parts (address and message). This division indicates that the photo postcard was produced after 1907, in what is known as the "divided back period," when the popularity of postcards reached its peak (between 1907 and 1915 and beyond). This popularity was certainly heightened by the success of the photo postcard. In 1903, five years after the introduction of private mailing postcards in the United States, around 7.5 million postcards had been sent. In 1906, the one-penny postcards, including the photo postcards, generated an increase of 35% in the volume of mail delivered by the country's postal system.[5]

fig.3 *Post Office and Hanging Laundry,* North America, 1904-1918.

fig.4 *Post Office,* Grassy Butte, North Dakota, USA, 1953.

Semblant tout droit sorti d'un western, ce bureau de poste ressemble à ceux que l'on rencontrait dans les petits villages ou bien encore aux croisements de routes traversant des terres moins peuplées. Ceux-ci restèrent pendant longtemps les maillons forts des liens entre les ruraux et l'extérieur. On s'y rendait à pied, à dos de mule ou à cheval, pour y chercher et y apporter son courrier. Leur destin, comme celui de leurs employés postaux, fut précaire. Attentif à la nécessité de réduire les coûts engendrés par l'augmentation du nombre de routes de livraisons rurales, le service des Postes chercha à fermer ces bureaux partout où il le pouvait, ce à quoi s'opposèrent régulièrement les parlementaires locaux. Il fallut finalement souvent choisir entre conserver son bureau postal local, ou bien la livraison rurale, en particulier quand ces bureaux étaient situés sur la route poste ou non loin. Entre 1901 et 1916, la présence de ces petits bureaux de poste sur le territoire, souvent photographiés **(fig. 4)**, va drastiquement chuter, passant de 70 000 à 41 000 en moins de vingt ans[6]. Il n'en reste pas moins que, en 1916, alors que 26 millions d'Américains sont desservis par un million de kilomètres de routes de livraisons rurales, 10 millions le sont encore par des bureaux de poste dits de « quatrième classe ».

« Un appareil photo aussi pratique qu'un crayon »

Dans l'Amérique du début du XXe siècle, le photographe fait tout autant partie de la vie de tous les jours que le bureau de poste. Quand il n'a pas pignon sur rue, le photographe est ambulant. Il sillonne les routes à pied, à cheval ou en voiture et, de village en village, propose ses services. Dans les terres, il n'est pas rare que le photographe du village se double d'une casquette de tenancier du bar ou de la boutique de la petite ville.

Seeming to have come straight out of a Western, this post office resembles the ones found in small towns or at crossroads in lightly populated areas. For a long time, they were the essential link in the chain that connected rural inhabitants to the outside world. You went there on foot, on the back of a mule or horse, to pick up and send your mail. The fate of these outposts, like that of their postal employees, was precarious. Keen to set off the cost of the increased number of rural postal routes, the Postal Service tried to close these post offices anywhere it could, which drew protests from local government officials. Often, one had to choose between keeping the local post office or rural delivery, especially when the post offices were located close to or on the delivery route. Between 1901 and 1916, the presence of these small country post offices, often photographed **(fig. 4)**, would drastically plumet from 70,000 to 41,000 in less than 20 years.[6] Still, in 1916, while 26 million Americans were served by close to a million miles of rural delivery routes, 10 million continued to rely on so-called "fourth-class" post offices.

"A camera as convenient as a pencil"

In early twentieth-century America, photography was as much a part of daily life as the post office. When they weren't an established business with a storefront, photographers were itinerant. They roamed the roads on foot, by horse, or by car, and offered their services from town to town. In the country, it was not unusual for the town photographer to also run a bar or the town's general store.

At the dawn of the twentieth century, photography was greatly simplified, and thus became more accessible to more people.[7] In 1900, after several

À l'aube du XXe siècle, la pratique de la photographie s'est énormément simplifiée, pour devenir accessible au plus grand nombre[7]. En 1900, après plusieurs innovations à succès, Eastman Kodak introduit un appareil photographique à un dollar, le Brownie, célèbre petite boîte noire fabriquée en carton rigide. Son nom renvoie à celui d'un personnage de bande dessinée *(cartoon)* et suggérait que même un enfant pouvait accéder à cet appareil et l'utiliser. Dès 1900, des papiers sensibles préparés pour cartes postales sont disponibles sur le marché, tel le Cyko de chez Ascot, l'un des premiers. À partir de 1902, Kodak adapte son papier Velox pour les cartes photo et met aussi sur le marché un papier Azo, moins cher, qui sera l'un des plus utilisés. Autour de 1905 apparaît ensuite l'Artura, racheté par Kodak en 1909, et d'autres tels le Noko, le Monarch et le Royal par Ansco ou encore le Kruxo. Ces papiers existaient avec plusieurs types de surfaces pour satisfaire tous les goûts, telles que brillante, semi-mate et velours.

C'est toutefois l'arrivée sur le marché, en 1903, d'un appareil spécifiquement conçu pour les cartes photographiques, qui propulse une pratique déjà bien installée. Le 3A Folding Pocket Kodak reprend les standards des formats officiels dictés en 1878 par le Congrès postal universel (3,5 × 5 inches). Le succès est immédiat. On peut s'envoyer des photos comme on s'écrit une lettre. Cet appareil est « aussi pratique qu'un crayon », clame Eastman Kodak. La firme en propose améliorations et variantes jusqu'en 1941, date du déclin de la pratique. Parmi les variantes, le Folding Brownie (1909) et l'Autographic (1916) apportèrent leur part d'innovation, sans toutefois rencontrer le même succès. L'Autographic était notamment doté d'un dispositif permettant d'écrire des informations (dates, noms de lieux ou de personnes) directement sur les négatifs

successful innovations, Eastman Kodak introduced a camera that cost a dollar, the famous little black box made out of rigid cardboard, the Brownie. The name came from a character in a cartoon, suggesting that even a child could use one. Starting in 1900, light-sensitive paper for postcards was available on the market, like Ascot's Cyko, one of the first. Starting in 1902, Kodak adapted its Velox paper for photo postcards and also put out another less expensive photographic paper, Azo, which would become one of the most popular. Around 1905, Artura appeared, which was bought by Kodak in 1909, followed by others like Ansco's Noko, Monarch and Royal, and Kruxo. These papers were available in several different types of finishes to satisfy all tastes, such as glossy, semi-matte and satin.

However, it was in 1903, when a camera specifically designed for photo postcards arrived on the market, that this well-established practice took off. The 3A Folding Pocket Kodak used the official format standards dictated in 1878 by the World Congress of the Universal Postal Union (3.5 × 5 inches). It was an instant success. You could send photos like sending a letter. The camera was "as convenient as a pencil," claimed Eastman Kodak. The firm came out with improvements and new versions until 1941, when the practice went out of fashion. Among the different versions, the Folding Brownie (1909) and the Autographic (1916) offered their share of innovations, though they did not enjoy the same success. The Autographic had a function that allowed you to write information (dates, names of places and people) directly on the negatives when shooting the picture.

Kodak flooded the market with its

au moment de la prise de vue.

Kodak inonde le marché de ses produits, publicités et fascicules qui accompagnent les appareils et les papiers spécifiquement dédiés aux cartes photo, en s'adressant autant aux amateurs qu'aux professionnels. Toute la gamme des praticiens est ainsi ciblée, depuis le photographe installé en studio jusqu'au photographe voyageur et ambulant, en passant par la catégorie toujours grandissante des amateurs – soit l'ensemble de la population – selon les vœux de conquête d'Eastman. « Ainsi la photographie est-elle accessible à tous ceux qui souhaitent se constituer une archive visuelle. Un carnet (ou un album) de photos permet de conserver la trace d'événements furtifs et qui ne se produisent qu'une fois dans une vie ; il permet à celui qui le possède de se repasser les scènes que sa mémoire aurait sinon estompées et perdues, alors même qu'il est confortablement installé au coin du feu[8] ».

« *Mail and Save* »

Symbole et effigie de ces nouveaux amateurs, la « Kodak Girl » est le levier promotionnel de l'appareil 3A. On la rencontre sur tous les supports, affiches, publications, mais aussi cartes photo publicitaires. Toujours élégantes et souriantes, les Kodak Girls sont rarement représentées en action, c'est-à-dire en train de prendre une photo. En revanche, elles ont l'appareil en main, le brandissent ou le tiennent contre elles. La femme est libre et indépendante avec son Kodak, avec lequel elle peut s'émanciper et voyager. L'appareil a pris la place du mari, de l'enfant ou du sac à main. Le message visuel est clair, même si les slogans ramènent systématiquement à la maison et au cadre familial. Selon l'industriel George Eastman, la photographie fait de plus en plus partie du quotidien et doit jouer un rôle encore

products, advertisements, and brochures that came with the cameras and papers specifically made for photo postcards, meant for amateurs and professionals alike. The entire range of photographers was thus targeted, from the photographer working in a studio to the itinerant photographer, not to mention the continually growing category of amateurs—in other words, the entire population, as the conquering Eastman would have it. "Photography is thus brought within the reach of every human being who desires to preserve a record of what he sees. Such a photographic notebook is an enduring record of many things seen only once in a lifetime and enables the fortunate possessor to go back by the light of his own fireside to scenes which would otherwise fade from the memory and be lost."[8]

"Mail and Save"

As the symbol and emblem of these new amateur photographers, the "Kodak Girl" served to promote the 3A camera. You could find her on all materials, posters, and publications, as well as in advertising photo postcards. Always smiling and elegant, the Kodak Girls are rarely shown in action, that is, taking a picture. However, they do have the camera in their hand, either brandishing it or holding it close. A woman was independent and free with her Kodak, which would liberate her and allow her to travel. The camera had taken the place of a husband, child, or purse. The visual message is clear, even if the slogans systematically draw us back to the home and the family. According to the industrialist George Eastman, photography was increasingly becoming part of daily life and should play an even more important role in the private sphere of the family. The most predominant

plus important dans la sphère familiale privée. Les publicités dominantes le répètent en incitant à capturer l'informalité des moments intimes. La maison et la famille sont deux des grandes cibles de la firme américaine : « C'est du côté de la maison et de la vie quotidienne qu'elle [la photographie] est la plus impactante émotionnellement. C'est bien là que réside la sorcellerie de Kodak. »[9] Avec la figure de la Kodak Girl, comme celle de l'enfant, il s'agit de faire comprendre en un coup d'œil que l'usage est extrêmement facile : un enfant et même une femme peuvent s'en servir ! Aucune connaissance technique particulière n'est nécessaire puisque, traditionnellement assignée à l'espace domestique, la femme n'est pas censée s'intéresser à la technique. Les slogans pour le papier Velox le répètent : « Vous pouvez tout faire vous même. Pas de chambre noire. Nous allons vous montrer. »[10]

Ces slogans sont parfois repris par les photographes proposant leurs services sur le territoire. « Service photo économique », « Agrandissements pour 15 cents », « Prends la photo et on la finalise », « Envoyez et économisez », etc. Mi-voiture et mi-camion **(fig. 7)**, un véhicule photographique recouvert de vues en tous genres regorge de slogans racoleurs. À la fois laboratoire de tirage et de prise de vue, espace de stockage des produits comme des papiers et appareils, ce véhicule est aussi une boutique et sa publicité. Il fait aussi probablement office de logement pour ce photographe ambulant. Dans ses mémoires, le photographe américain Edward Weston raconte que, dans une période difficile, alors qu'il ne trouvait pas de travail à la fin des années 1930, il se munit de son appareil et sillonna le petit village de Tropico pour faire et vendre des cartes postales photographiques : « Le travail manquait, il me fallait de l'argent, j'ai donc pris mon appareil pour solliciter un par un

advertisements repeated this by inciting to capture the informality of intimate moments: "Capture the home side." The home and family were two major targets of the American company: "It is in its home side that it touches most vitally. Therein is the true witchery of Kodakery."[9] The image of the Kodak Girl, like that of a child, instantly conveys the idea that the camera is extremely easy to use: a child, and even a woman, can use it! No particular technical skill is necessary, since women, traditionally assigned to the domestic space, are not supposed to be interested in anything technical. Slogans for Velox paper repeated the same idea: "You can do it all. No dark room. Simple all the way. Let us show you."[10]

These slogans were sometimes repeated by photographers offering their services in the countryside. "Affordable photo service"; "Enlargements for 15 cents"; "Take the photo and we'll develop it"; "Send and save," etc. Half car and half truck, a photographic vehicle displaying all sorts of snapshots is covered with showy slogans **(fig. 7)**. At once print lab, photo studio and storage space for products such as papers and cameras, this vehicle is not only a boutique but also an advertisement. It also probably served as lodgings for this itinerant photographer. In his memoirs, the American photographer Edward Weston recalls that, during a difficult period at the end of the 1930s when he couldn't find work, he took his camera and roamed around the small town of Tropico to make and sell photo postcards: "Jobs were infrequent, money needed, so I turned to my camera and canvassed house to house in the little village of Tropico, making postcards for a dollar a dozen. Family groups on the porch, children, pets. I was still in my

les habitants du petit village de Tropico et j'ai fabriqué des cartes postales à un dollar la douzaine – photos de familles sur le seuil de leur maison, les enfants, les animaux domestiques. J'étais adolescent et je n'avais pas encore choisi ma voie[11] ».

Le métier était ouvert à tous comme il l'avait été dès son origine. Tout un chacun pouvait s'installer comme photographe ambulant et faire des cartes postales photographiques.

« Une de mes cartes photo faites maison »

Plusieurs cartes photo privées témoignent d'une pratique féminine répandue du medium. Telle image envoyée par « Elisabeth » à sa « Cousine Sarah » a parcouru près de 5 000 kilomètres **(ill. p. 145)**. Elle a été envoyée de Concord en Californie sur la côte ouest, à Vermont, à l'autre bout du pays, sur la côte nord-est. Dans l'espace vierge réservé sous l'image, Elisabeth explique qu'il s'agit de son premier essai de carte photo faite entièrement par elle. Comme l'inventeur de la photo Nicéphore Niépce quatre-vingts ans plus tôt, la jeune femme a photographié ce qu'elle voit depuis sa maison, « c'est la vue juste devant notre maison ». Elle promet ensuite d'envoyer aussitôt une image montrant cette fois la maison elle-même. La jeune femme a ici utilisé un papier cyanotype produisant des images bleues. Ces papiers cyanotypes, ainsi que les sépias aux teintes marron, furent proposés comme alternative aux teintes gris-noir des papiers gélatino-argentiques. Les cyanotypes postaux – dont faisait aussi partie la carte photo du train d'Ansonia **(fig. 1)** – restèrent populaires jusque dans les années 1920. Ils étaient simples à produire, leur traitement se réduisant à un rinçage. Un des enjeux du tirage fait maison était l'une de ses étapes finales, le séchage. La méthode conseillée

teens and had not yet decided on a career."[11]

The profession was open to everyone, as it had been at its origins more than 50 years earlier. Anyone could set up a business as an itinerant photographer and make photo postcards.

"One of my own make of post cards"

Several private photo postcards demonstrate that women made ample use of the medium. An image sent from "Elisabeth" to her "Cousin Sarah" traveled more than 3,000 miles **(ill. p. 145)**. It was sent from Concord, California, on the West Coast, to Vermont, at the other end of the country. In the blank space reserved below the image, Elisabeth explains that this is her first attempt at making a photo postcard entirely by herself. Just as the inventor of photography Nicéphore Niépce did 80 years before, the young woman photographed what she saw from her house, "the view straight across from our cottage." She then immediately promised to send an image of the house itself next time. The young woman used cyanotype paper, producing blue images. Together with sepia and shades of brown, cyanotype paper was put forward as an alternative to the gray-black tones of gelatin-silver paper. Postal cyanotypes—which also include the photo postcards of the Ansonia train **(fig. 1)**,— remained popular until the 1920s. They were easy to make: a rinse was the only operation required. One of the challenges of homemade prints was a final step, the drying process. To obtain flat, rather than warped images, the suggested method was to build a stack of slightly damp photographs, interweaving them with blotting paper. The whole construction then needed to be weighted

fig.5 *Sod Home on Mining Claim,* North America, 1910.

fig.6 *The Old Spring,* West Lafayette, Ohio, USA, 1906.

pour obtenir des images plates, et non pas gondolées, consistait à confectionner une sorte de mille-feuille en intercalant des photographies encore humides entre des feuilles de papier buvard, le tout devant ensuite être mis sous pression jusqu'au séchage. En parallèle de ces recettes *do-it-yourself,* des solutions clés en main sont mises sur le marché pour faciliter les étapes post-prise de vue : elles peuvent prendre la forme d'une machine telle celle à « développement simplifié pour les amateurs » proposée à partir de 1903 par Kodak. Il peut aussi s'agir de cette offre de la même firme qui, entre 1906 et 1910, propose aux amateurs le développement et le tirage positif des négatifs pour seulement 10 cents la carte. Une fois les photos prises, l'appareil et sa pellicule étaient envoyé chez Kodak, qui développait le négatif, produisait les tirages positifs et les renvoyait avec l'appareil rechargé.

« La source d'antan »

Les signatures des messages envoyés avec les photos permettent parfois d'identifier leurs auteurs et autrices : « Voici une des cartes photo que j'ai faite moi-même, [signé] (Miss) H. F. » Cette carte **(fig. 6)**, postée depuis la petite bourgade de West Lafayette, est à destination de ce même village de l'Ohio. L'adresse, d'une simplicité éloquente, nous dit combien tout le monde se connaissait. En effet, et comme c'est très souvent le cas avec les cartes photo, seul le nom du village est mentionné sous celui du destinataire, y compris quand il est à plus de 3 000 kilomètres. Cette carte photo a été personnalisée par la photographe. Elle a utilisé un cache positionné entre le négatif et le papier de tirage afin de créer un effet décoratif tout autour du cliché. La photo est prise en plan rapproché. Sa légende manuscrite, « *The Old Spring* », aide à comprendre ce qui est représenté dans l'image.

down until the prints were dry. Alongside DIY techniques, ready-made solutions appeared on the market to facilitate post-shot operations: these could take the form, for instance, of a machine for "simplified development for amateurs" offered by Kodak in 1903. From 1906 to 1910, the company also offered amateurs a deal that allowed them to develop positive prints from negatives for only 10 cents per card. Once the film roll was exposed, the camera was sent to Kodak, which developed the negatives, produced positive prints and returned it with a fresh roll.

"The Old Spring"

Sometimes, the signatures of messages sent with photos identified their authors: "This is my first attempt at making postal cards myself [signed] (Miss) H. S." This card **(fig. 6)**, posted from the small town of West Lafayette, Ohio, was sent to someone in the same village. The poignant simplicity of the address speaks volumes of how everyone knew one another. Only the town's name is mentioned below the recipient's, as was the case with many photo postcards, even when the destination was more than 1,000 miles away. This photo postcard was personalized by the photographer. She used a piece of paper placed between the negative and the print to create a decorative effect around the snapshot. The photo is a close-up. Her hand-written caption, "The Old Spring," helps us understand what is shown in the image. A wooden or steel rail with a receptacle at its end serves to collect water from the spring. The theme of the photograph, probably picturesque since it depicts an old spring, is by no means trivial. Access to water was vital and far from guaranteed for those who settled in new territories. Springs and, by extension,

Un rail de bois ou de fer, au bout duquel est installé un réceptacle, est destiné à recueillir l'eau de cette source. Le sujet, probablement pittoresque puisqu'il s'agit d'une ancienne source, n'est pas anodin. L'accès à l'eau était primordial et loin d'être garanti, en particulier pour ceux qui s'installaient sur des terres nouvelles. La source, et par extension le cours d'eau, sont souvent représentés dans les correspondances photographiques. Dans son étude sur l'Ouest américain, Greg Bradsher rappelle que, si la première tâche du colon était de construire une maison là où il n'y avait pas de bois, la suivante consistait à obtenir de l'eau là où souvent aucune source n'existait. L'eau pouvait être transportée du ruisseau à chez soi dans des fûts, mais en son absence, l'approvisionnement dépendait de la récupération des eaux pluviales. Les puits étaient plus faciles à creuser dans les basses terres. Dans d'autres situations, seuls des outils de forage permettaient aux familles de disposer d'eau. L'occurrence de la source et du cours d'eau comme motif photographique rappelle l'imaginaire de la construction de la nation. Au début du XXe siècle, les nouvelles techniques de labour telles que le compactage, la jachère d'été et le semis de cultures résistantes à la sécheresse permettent de transformer des terres arides et auparavant utilisées en pâturage en terres agricoles. L'aménagement et l'irrigation de ces terres désertiques motivent en 1909 l'Enlarged Homestead Act. Les installations agricoles sont notamment soutenues dans le Colorado, le Montana, le Nevada, l'Oregon, l'Utah, Washington, l'Arizona et le Wyoming[12]. La superficie maximale autorisée des fermes et des terres non irrigables accessibles à la propriété augmente. Comme avec le Homestead Act de 1862, les colons devaient résider sur l'emplacement qu'ils réclamaient, y avoir construit une maison, en avoir cultivé la terre et pouvoir le prouver d'une manière ou

waterways, were often represented in the text that accompanied photos. In his study on the American West, Greg Bradsher reminds us that the settler's first task was to build a house where no wood was to be found, and the next task was to obtain water where no water flowed. Water could be transported in barrels from stream to home, but in its absence, its supply depended on collecting rainwater. Wells were easier to dig on lower ground. In other situations, drills were the only tools that could help provide families with water. The presence of springs and waterways as a photographic theme reflects the mental preoccupations of building a nation. At the start of the twentieth century, new plowing techniques such as compacting, together with summer fallowing and sowing heat-resistant seeds, transformed arid land previously used for pasture into arable land. Development and irrigation of desert land prompted the Enlarged Homestead Act in 1909. Farms received support, especially in Colorado, Montana, Nevada, Oregon, Utah, Washington, Arizona and Wyoming.[12] Potential homesteaders benefited from an increase in the maximum authorized surface area for farms and land without water. As with the 1862 Homestead Act, settlers would need to live on the plot they claimed, build a house on it, cultivate the land and be able to prove, one way or another, that they had done so. From 1901 to 1920, it was mostly women who obtained property deeds, despite the fact that they represented less than 10% of all settlers before 1901. The number of photo postcards showing recently built houses using mud, straw or a more sophisticated wooden frame is impressive. Photos generally show an overall view, even though someone is often standing in front of the house. However, the family is

d'une autre. Ce sont majoritairement des femmes qui entre 1901 et 1920 obtiennent les titres de propriété alors qu'elles représentaient moins de 10 % des colons avant 1901. La quantité de cartes photo représentant des maisons nouvellement construites, en terre, en paille ou, plus sophistiquées, en ossature de bois, est impressionnante. Les photos sont généralement des vues d'ensemble, même si on pose souvent devant la maison. Cependant ce n'est pas la famille qui est photographiée, mais bien la maison, et une maison bien ancrée dans la terre qui l'entoure. Les photographies, démonstratives, participaient-elles à l'établissement de titres de propriété ? Certaines d'entre elles, ainsi que leurs messages, en portent les traces, comme cette maison en terre **(fig. 5)** dont la demande de propriété a dû être faite, puisqu'elle est accompagnée de la mention « *on claim* ».

Les souliers

L'idée d'utiliser les cartes postales à des fins promotionnelles et autopromotionnelles s'était manifestée dès leur introduction en 1873. Le service des Postes des États-Unis avait autorisé leur usage pour passer des commandes, communiquer des prix, et à des fins commerciales et publicitaires. Cette pratique n'est pas courante avec les cartes photo, même si on peut parfois l'observer. Ainsi la boutique Miller and Son du village de Woodburn, dans l'Oregon, envoie une carte photo à ses clients qui vivent à 6 kilomètres de là, à Gervais. Il y a eu une complication dans leur commande, le pantalon qu'ils souhaitaient ne peut être fait que sur mesure, et le prix exorbitant annoncé par le tailleur lui a fait préférer attendre leur avis avant de confirmer l'achat **(ill. p.137)**. Sur la photographie, une paire de souliers semble sortie d'une des peintures de Van Gogh réalisées trente ans

not the focus of the photograph. Clearly, it is the house, firmly embedded in the surrounding tract of land. Did these photographs contribute to establishing property deeds? Some of them, together with their inscriptions, bear traces of such a use, like this sod house **(fig. 5)** whose request for property must have been filed, since the words "on claim" were included.

Working shoes

The idea of using postcards for both advertising and self-promotional purposes appeared as early as 1873. The United States Postal Services allowed the cards to be used for taking orders, issuing estimates, and promoting or conducting company business. The practice was unusual with photo postcards, although it occurred occasionally. That is how, for instance, the Miller and Son boutique in the town of Woodburn, Oregon, came to send a photo postcard to clients who lived four miles away in Gervais. There was a problem with the order: the trousers the clients wanted could only be made to measure, and due to the high price, duly quoted by the tailor, he preferred to ask their opinion before confirming the sale **(ill. p. 137)**. In the photograph, a pair of shoes seems to come straight out of a Van Gogh painting from thirty years earlier. Or maybe they prefigure the ones that Charlie Chaplin would be famous for two decades later in *The Gold Rush*? One readily thinks of the photographer Robert Frank in looking at this photograph, with its fusion of images and words. The words "Sold" and "Worn Two Years" were etched into the negative with a sharp instrument. The silver gelatin removed in this way made the words appear in black. Another technique was to trace the words with an opaque varnish that blocked the

fig.7 « *Thrifty Foto Service* » *Advertising Car,* San Diego, California, USA, 1938.

fig.8 *Domestic Interior,* North America, 1904-1918.

plus tôt. Ou bien annonce-t-elle celle dont Charlot fera son souper deux décennies plus tard dans *La Ruée vers l'or ?* Difficile de ne pas penser au photographe Robert Frank en regardant cette image dans laquelle l'écrit et l'image fusionnent. Les mots « Vendues », « Deux ans de service » ont été inscrits sur le négatif. Ici, la gélatine argentique a été creusée grâce à une pointe et ils apparaissent en noir. Là, ils ont été dessinés avec un vernis opaque qui obstrue le passage de la lumière et fait apparaître les lettres en blanc sur le tirage. Ces godillots sans lacets, chaussures de travail épuisées faites de bosses et de creux, ont été usés jusqu'à la corde. La photographie n'évoque pourtant pas la misère mais plutôt la fierté, on exhibe ces chaussures comme des trophées, hommage au courage face à la dureté des conditions de vie et du travail agricole ou de la mine, hommage encore à ceux qui sont sur les routes et se déplacent. Encore un exemple qui rappelle combien les cartes photo ne reflètent pas la vie ni le quotidien de la haute société, mais plutôt des catégories sociales moins privilégiées, classes moyennes ou populaires qui n'ont que peu d'accès ou de liens avec d'autres types d'imageries ou de moyens de communication.

Des images punaisées

Ni cadre ni écrin, l'accumulation sans fioritures est une des grandes modalités de « partage » des cartes photo. On peut les rencontrer, comme on l'a vu, sur les parois d'un véhicule de photographe ambulant, sur le promontoire d'un comptoir, dans une devanture de boutique, ou bien encore chez soi, à la maison.

Dans la maison, les murs du salon sont tapissés de cartes photo **(fig. 8)**. La lumière provenant de l'extérieur est aveuglante. Malgré le contre-jour, le temps de pose long[13] a permis aux

light, displaying the letters in white on the print. These tattered working man's shoes, bereft of laces and dented all over, were completely worn out. However, the photograph does not so much speak of poverty as of pride: the shoes are exhibited as trophies, a tribute to courage in the face of harsh living conditions, grueling farming and mining—and a tribute to those on the road, on the move. It represents another example of the extent to which photo postcards did not mirror daily life in high society, but rather the less privileged social categories, the middle or working classes, less able to benefit from other pictorial types or communication methods.

Pinned pictures

Without frame or case, the frills-free accumulation of photo postcards is one of the main ways they can be "shared." As we have seen, they can be found on a traveling photographer's truck, on a raised counter, in a storefront, or at home.

In the house, the living room is festooned with photo postcards **(fig. 8)**. The light from outside is blinding. Despite the backlight, the long exposure time[13] reveals a number of details: a small dresser in a corner, a sewing machine and lastly, close to the window and facing the photo postcards, a rocking chair. More modestly, compared to the preceding photographic objects, the photo postcards are simply thumbtacked to the wall. The pin would usually not be pushed through the image itself, but rather through the white margin that "framed" the image, thus replacing the traditional painted wooden frames or hinged cases of former years. Photo postcards were easy to manipulate and transport. Photographic and printed

détails d'apparaître : une petite commode dans un angle, une machine à coudre et enfin, à côté de la fenêtre et faisant face au mur de cartes postales, une chaise à bascule. Plus modestement par rapport à la plupart des objets photographiques qui les précèdent, les cartes photo sont simplement punaisées au mur. Le trou fin de la punaise ne perce pas nécessairement l'image mais plutôt la marge blanche qui « l'encadre » et remplace le cadre en bois peint ou les écrins d'antan. Ces cartes photo sont maniables et transportables. Cartes postales photographiques et cartes postales imprimées élisent aussi domicile dans les pages d'album, autre réceptacle idéal pour les conserver et les partager. Cette forme de collectionnement fut aussi pressentie par l'industrie photographique, qui ne tarda pas à en proposer. C'est parmi les albums de cartes postales traditionnelles conservées dans la bibliothèque de la maison familiale d'une petite ville du sud-est de l'Ohio, où naquit son grand-père en 1864, que Rosamond B. Vaule, autrice de *As We Were : American Photographic Postcards*[14] redécouvre, plusieurs années après la mort de son aïeul, des souvenirs photographiques familiaux oubliés dans la masse des cartes postales imprimées. Certaines de ces photographies timbrées avaient été reçues par ses proches, tandis que d'autres, sans trace d'envoi, étaient faites maison et montraient sa propre famille, la maison, un trophée de pêche, le chemin, le village…

« Ici » et « là »

Un nuage de fumée sombre s'échappe vers le ciel. La photographie **(ill. couverture)** a été prise verticalement comme pour mieux faire le portrait de cette colonne de fumée qui a pris la place d'un arbre, vertical lui aussi. Photographié à Ames dans l'Iowa, ce cliché est celui qu'un fils choisit d'envoyer, le 9 avril 1913, à ses parents qui résident dans le Nebraska. Son message, signé

postcards were also tucked away in albums, another ideal storage system. The photography industry foresaw this form of collection and was quick to offer such albums for sale. Rosamund B. Vaule, author of *As We Were : American Photographic Postcards*,[14] found albums filled with traditional postcards, which were preserved in her family home's library, in a small town southeast of Ohio where her grandfather was born in 1864. She rediscovered the family's photographic souvenirs, forgotten in the mass of printed postcards, a few years after her grandfather passed away. Some of these stamped photographs had been sent to friends and family, whereas others,with no trace of postmark, were homemade and showed her own family, the house, a fishing trophy, the path, the town, and so on.

"Here" and "there"

A cloud of dark smoke wafts skywards. The photograph **(ill. cover)** has been taken vertically, as if to make a better portrait of the column of smoke where a tree, also vertical, once stood. Taken in Ames, Iowa, on April 9, 1913, this is the snapshot a son has chosen to send his parents, who live in Nebraska. His message signed "Geo" is as brief as it is informative: "Dear mother, here is one of the trees I blew up."

One of the themes frequently found in photographic correspondence can be defined as: what has just been done or what is about to be done, all closely linked to one's location and where one lives—right now. For instance: "I made my money here"; "Here's where I spend most of my time"; "Where I now live."

In the images, a cross mark is the visual equivalent of adverbs of place, "here"

« Geo », est aussi court qu'informatif : « Chère mère, voici l'un des arbres que j'ai fait exploser samedi dernier. »

S'il est un sujet qui revient régulièrement dans les correspondances photographiques, c'est bien ce que l'on vient de faire, ou bien ce que l'on s'apprête à faire, le tout étant inextricablement lié à l'endroit où on est et où on vit à ce moment même, c'est-à-dire quand on s'écrit : « C'est ici que j'ai fait mon argent », « C'est là que je passe la plupart de mon temps », « C'est ici que je vis désormais ».

Dans les images, un signe en forme de croix, manifestation visuelle des adverbes de lieu « ici » et « là », les remplace. La croix désigne en la localisant la maison où l'on a dormi, le lieu où on va s'établir, la rivière dans laquelle on a cru trouver de l'or, ou encore les gens que l'on connaît : « Là où il y a une croix, c'est mon cousin. » La flèche joue parfois le rôle de la croix, comme dans cette carte dessinée au dos de la photographie d'une cabane en rondins perdue entre l'Idaho et le Dakota du Sud, dans une forêt du Wyoming **(fig. 9 et 10)**. Sur la carte, la flèche désigne ici l'endroit où la photographie a été prise : « Photo prise ici. »

Plus significatif encore, on échange sur ce que l'on est actuellement en train de faire, c'est-à-dire que l'on écrit sur les photos que l'on envoie, celles que l'on a faites ou reçues, ou encore celles dont on a fait l'acquisition ou que l'on promet d'envoyer : « Que penses-tu de cette carte photo ? » ; « Cette vue vient de mon stock. J'en ai 50 comme ça et ça devrait rapporter 8c avant l'hiver » ; « As-tu reçu ma photo ? **(fig. 11)** » ; « Est-ce que tu t'en sors avec les photos que tu prends ? ».

Les messages courts, injonctions, assertions ou exclamations qui complètent les images, en infléchissent parfois a lecture.
C'est le cas d'une carte photo d'une plaine

and "there". The cross indicates where someone slept in the house, where they want to settle, the river they thought they had struck gold in, or the people they knew: "My cousin's there where the cross is". An arrow sometimes acts as a cross, as in the map drawn at the back of the photograph showing a log cabin in a forest in Wyoming, near the northern Great Plains **(fig. 9-10)**. On the map, the arrow shows where the photograph was taken. "Picture taken here".

More significant still, people write about what they are currently doing, about the photos they have sent, taken, received, bought, or promised to send. "What do you think of this picture?"; "This view is some of my stock. I have 50 like them and expect to get 8c by winter"; "Did you get my picture?" **(fig.11)**; "Are you getting along taking pictures?"

Short messages added to the images, such as injunctions, assertions and exclamations, can sometimes distort their meaning. That is the case of a photo postcard showing an arid plain apparently stretching to infinity, photographed from a slight elevation. At its center, three elements contrast with its flatness: a wooden house that seems to be half-built, a barn, and a wagon without a horse. Not a soul in this winter landscape **(fig. 12)**. The owner cannot be seen, obviously, as they are probably taking the photograph, unless the snapshot has been wrenched from time and space by an itinerant photographer. One thing is certain, the question mark after the saying "Home Sweet Home?" recalls the harshness of the realities the settlers face. The origin of the phrase, which calls to mind domestic bliss, goes back to the lyrics of the song of the same name (1823) by the poet and American actor John Howard

fig.9 « *Thompson Boys' Log Cabin* », Crook County, Wyoming, USA, 1904-1918.

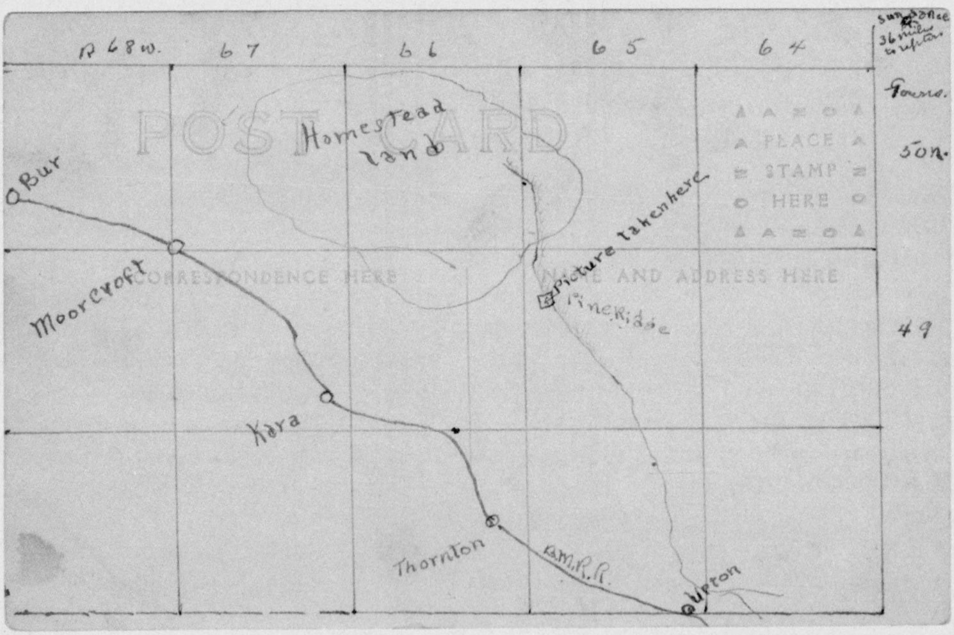

fig.10 « *Thompson Boys' Log Cabin* », Crook County, Wyoming, USA, 1904-1918.

aride qui, photographiée depuis un point de vue légèrement en hauteur, semble s'étendre vers l'infini **(fig. 12)**. En son centre, trois éléments contrastent avec sa platitude : une maison en bois semblant encore en construction, une grange et une calèche sans cheval. Aucune âme qui vive dans ce paysage hivernal. Le propriétaire est absent, et pour cause, il est probablement en train de prendre la photographie, à moins qu'elle n'ait été arrachée au temps et à l'espace par un opérateur de passage ? Une chose est sûre, l'ajout sous l'image d'un point d'interrogation à la locution « *Home Sweet Home ?* » rappelle l'âpreté des situations auxquelles sont confrontés ceux qui s'installent. L'origine de cette formule idiomatique, qui évoque la douceur du foyer domestique, remonte aux paroles de la chanson (1823) du poète et acteur américain John Howard Payne. La formule apparaît régulièrement sur les cartes photo, au moins autant que le « J'habite ici maintenant » mais pas aussi fréquemment que la promesse répétée du « Je t'écris vite ».

Les liens entre les mots et ce que représentent les images sont souvent ténus et parfois moins évidents. Ainsi en est-il de la photographie d'un billot de boucher, dont le premier plan et l'arrière-plan exhibent une panoplie de morceaux choisis de viande. Dans la marge gauche de l'image, non loin du hachoir traditionnel et de la balance dernier cri, l'information « Je rentre mercredi matin » n'est décidément pas en rapport direct avec cet étalage de chair animale. À moins que l'auteur de ces mots ne soit le boucher du village ? Faite sans apprêt, la photographie est on ne peut plus directe, le cadrage est un peu décalé, comme si le photographe n'avait pas pris le temps de le rechercher. Souvent les cartes photo donnent cette impression d'avoir été prises en passant, à un moment donné comme à un autre. On pourrait les qualifier d'images « passantes ».

Payne. The expression features frequently on photo postcards, at least as often as "Where I now live," but not as often as the repeated promise, "Will write soon."

The relationship between the words and what the images represent is often tenuous and less obvious. For instance, the photograph of a butcher's block exhibits an array of choice cuts in both foreground and background. In the left margin, near the traditional meat grinder and the latest set of scales, the news that the sender "Will come back Wednesday morning" has decidedly little to do with this display of meat. Unless the author is the town butcher? Made without the least affectation, the photograph could not be more straightforward. The framing is a little off, as if the photographer hadn't had time to get it right. Photo postcards often give the impression of having been taken on the fly, at any odd moment. They could be described as images "in passing." As soon as they are postmarked and sent, they themselves "pass on" a communication.

Photographic correspondence

Often hastily written, the words on photo postcards represent some of the shortest epistolary correspondence ever written. Messages from over a century ago are similar to our modern text messages (SMS, or Short Message Service). The words themselves are shortened and replaced by letters: "you" becomes "U" in "Waiting for U" in the card from Ansonia. This far-from-recent linguistic "shrinkage" is adapted to the limited blank spaces reserved for writing on the photo postcards. In fact, the limitation became controversial as early as 1873. There was even a belief that the quality of writing, and of the English language itself, would deteriorate. Another

Elles-mêmes sont des passeuses lorsqu'elles sont timbrées et envoyées, ou plus simplement communiquées.

Correspondances photographiques

Souvent rédigés à la hâte, les écrits des cartes photo sont plus courts que toute correspondance épistolaire ne l'a été jusque-là. Ces échanges d'il y a plus d'un siècle ressemblent à ceux des SMS contemporains *(Short Message Service)*. Les mots eux mêmes sont raccourcis et remplacés par des lettres : « *you* » devient « *U* » dans « *Waiting for U* » de la carte d'Ansonia. Ce rétrécissement linguistique, loin d'être nouveau, est ici adapté aux espaces limités réservés à l'écriture des cartes photo. Cette limitation soulève d'ailleurs des polémiques dès sa mise en place en 1873. On craignait qu'elle entraîne une dégradation de la qualité des écrits et de la langue même. Une autre polémique, celle du respect des frontières entre sphère publique et sphère privée, en préoccupe plus d'un. Renoncer à l'enveloppe et timbrer directement les cartes met à nu et expose au grand jour les messages et les images.

Sur les cartes photo, messages et images cohabitent, se croisent et se superposent, entrent parfois en collision, s'annulent ou au contraire s'augmentent. Les mots et avec eux leurs lettres et leurs tracés se baladent devant et derrière ces cartes voyageuses. Ils courent autour d'elles, avec elles, et sont, tout autant qu'elles, des voyageurs. Ils dégoulinent sur leurs côtés et envahissent leur verso. Les voici aussi à l'intérieur même des images... Des enseignes, un slogan, une ardoise de restaurant, une affiche ou un panneau. Enfin ils sont aussi parfois inscrits dans la matière des photographies, creusés dans la fine couche gélatino-argentique de l'image (une date, un nom, une légende ou un simple commentaire). L'écriture est le plus

controversy, over the boundary between public and private life, was a matter of concern for many. Making do without an envelope, and stamping the cards directly, exposed messages and images to the whole world.

On the photo postcards, messages and images meet and fuse, sometimes clashing, overlaying, and interfering with each other, or at other times augmenting each other. The words, their letters, handwritten, roam about the front and back of the wandering cards. They run throughout them, and with them; the words are nomadic too. They ooze over the margins and invade the back of the cards. Here they are, actually inside the images... Store signs, a slogan, a restaurant menu, a poster or a billboard. And they are also inscribed in the very material of the photograph, etched in the fine layer of the image's gelatin silver (a date, name, caption, or simply a comment). The writing is mostly cursive, with sometimes curious capitalization. There is visual poetry in the writing, the sizes of the letters and the gaps between them, the pressure used, the accidents and inconsistences, the way they are arranged on the card.

When there are no words, when the image has been neither stamped nor sent and nothing has been scrawled on it, there is silence; we have no information at all, no date, time, place, recipient, or author. Everything has been forgotten, but not quite, since photographs, potential Pandora's boxes, are still truly with us, even after they have left behind the ones they shared their daily lives with, once upon a time. In the vastness of these images without name or caption, identifying the ones made by amateurs or professionals is no easy task. Yet, who are the amateurs? The new photographers,

fig.11 *Rural Free Delivery Postal Wagon,* Dodge Center, Minnesota, USA, c. 1908.

fig.12 *Tar Shack on the Prairie,* North America, 1904-1918.

souvent cursive, ponctuée de majuscules. Toute une poésie se dégage des graphies, de leurs tailles, leurs écarts, leur pression, leurs irrégularités, leurs accidents mais aussi de leur ordonnancement dans la carte.

Et quand les mots sont absents, quand l'image n'a été ni timbrée ni postée, et que rien n'y a été griffonné, silence, plus aucune information ne nous parvient, ni date, ni heure, ni lieu, ni destinataire, ni signataire. Tout est oublié, ou presque, car les photographies, potentielles boîtes de Pandore, sont bel et bien encore là, même si elles ont laissé derrière elles ceux dont elles ont un temps partagé la vie de tous les jours. Dans l'étendue de ces images sans nom et sans légende, il est souvent malaisé de distinguer celles qui auraient été faites par des amateurs ou des professionnels. Mais qui sont les amateurs ? Sont-ils ces nouveaux photographes, ces novices qui furent la cible préférée de Kodak et qui assimilèrent la photographie aussi vite qu'ils s'en saisirent ? Complexe en photographie, la notion d'amateur a revêtu plusieurs sens, y compris celui d'expert. En 1899, le monument de la photographie que fut l'américain Alfred Stieglitz dissipait magnifiquement les malentendus planant autour du terme : « Permettez-moi ici d'attirer votre attention sur une de ces erreurs très répandues concernant la photographie – à savoir l'exercice qui consiste à classer le soi-disant excellent travail d'un professionnel et à utiliser le terme *amateur* afin de décrire des réalisations juvéniles et pardonner des photographies d'une pauvreté affligeante. En fait, presque tout le travail est effectué, et il l'a toujours été, par ceux qui s'intéressent à la photographie pour le plaisir et non pas simplement pour des motifs financiers. Comme le nom l'indique, un amateur est quelqu'un qui travaille pour le plaisir.[15]»

the novices who were Kodak's preferred target and absorbed photography as fast as they could get their hands on it? The notion of the amateur is complex in photography, as it has taken on several meanings, including that of "expert." In 1899, the giant of American photography Alfred Stieglitz brilliantly dispelled the misunderstandings that gravitated around the term: "Let me here call attention to one of the most universally popular mistakes that has to do with photography—that of classing supposedly excellent work as professional and using the term 'amateur' to convey the idea of immature productions and to excuse atrociously poor photographs. As a matter of fact, nearly all the greatest work is being, and has always been done, by those who are following photography for the love of it, and not merely for financial reasons. As the name implies, an amateur is one who works for love."[15]

***

Whether produced by amateurs or professionals, these photo postcards are useful, functional objects, intended to be shared. They are nomadic images. Just like the worn shoes in the photo postcard, they bear the marks of their use: crinkles, tears, fingerprints, creases, occasional cracks in the emulsion, various stains, etc. These marks of time, reminders of their journeys and of those whose day-to-day lives they once shared, contribute to the naturalness, the weight, the candour of these images. The photographs published in this book have been and continue to be collected on the internet, one by one, as enthusiasts fall in love with their finds.

***

Qu'elles soient produites par des amateurs ou des professionnels, les cartes photo sont des images utiles et fonctionnelles ayant vocation à être partagées. Ce sont des images « baroudeuses ». Comme les souliers usés de la carte photo, elles portent les traces de leur utilisation : gondolement, déchirures, traces de doigts, pliures et parfois cassures de la couche image, taches diverses, etc. Ces marques du temps, souvenirs de leur vie et de ceux dont elles partagèrent un temps le quotidien, ajoutent au naturel, à la gravité et à la candeur de ces images. C'est sur la Toile que les photographies publiées dans ce livre ont été collectées et continuent de l'être, une à une, au fur et à mesure de rencontres et de coups de cœur.

Les collectionneurs ont joué un rôle clé dans l'histoire de la photographie. Défricheurs, visionnaires, séduits par un détail, ils pistent et traquent ces images du passé pour, progressivement, année après année, constituer des ensembles inconcevables au moment de la production unitaire de chaque image. En ce sens, les collectionneurs sont aussi des créateurs. Guidés par leur sensibilité et leur instinct, ils ont la liberté d'inventer leur sujet, de s'intéresser à ce qui les touche, et d'avancer là où il n'y a ni chemin ni fondations. Ce sont eux qui les premiers ont œuvré pour la reconnaissance des RPPC, mené les recherches, identifié les photographes. Ce sont encore eux qui continuent de baliser l'univers, longtemps resté méconnu[16] et considéré comme mineur, de la carte photo.

Collectors have played a key role in the history of photography. Pioneers and visionaries, ravished by a detail, they identify and track down images of the past, until gradually, year by year, they compose a collection that was inconceivable at the moment each individual image was made. In that sense, collectors are also creators. Guided by sensitivity and instinct, they are free to invent their object, take an interest in what moves them, chart a path were there was none. They were the first to champion real photo postcards, carry out research and identify photographers. The world of photo postcards was long unrecognized[16] and considered minor, until collectors created its foundations; they continue to reveal its expanses.

1. L'appellation *Real Photo Postcard*, en usage aujourd'hui dans les pays anglo-saxons se rencontre rarement dans les correspondances d'époque : on lui préfère la terminologie « *picture* » ou encore « *postal* », « *postal card* » et « *post card* ».

1. The term "real photo postcard," currently used by English speakers, is rarely found in the correspondence of that time: the preference was for "picture" or "postal" or "postal card" or, of course, "post card."

2. C'est ainsi que les nomment collectionneurs et marchands, ce qui les distingue des cartes postales manufacturées.

2. Collectors and traders call them this, to distinguish them from manufactured post cards.

3. Motivés par l'espoir d'une vie meilleure, ils sont aussi encouragés par les lois américaines sur l'accès à la propriété, le Homestead Act, qui à partir de 1862 encadre l'accès à la propriété fermière. Il autorise chaque famille pouvant justifier qu'elle occupe un terrain depuis cinq ans à en revendiquer la propriété privée.

3. Motivated by the hope for a better life, they were also encouraged by American laws regarding access to property (the Homestead Act). The Homestead Act dates from 1862 and addresses access to farmland. The act authorized any family that could prove they had occupied a parcel of land for five years to claim it as private property.

4. Office of Inspector General, United States Postal Service, *Rural And Urban Origins of the US Postal Service*, Report Number RISC-WP-19-007, 26 août 2019.

4.Office of Inspector General, United States Postal Service, *Rural and Urban Origins of the US Postal Service*, Report Number RISC-WP-19-007, August 26, 2019.

5. Cité par Jody Blake, « Photographic Correspondence. Picture Postcards in Historical Context », *in* Jody Blake and Jeannette Lasansky, *Rural Delivery, Real Photo Postcards from Central Pennsylvania 1905-1935*, Union County Historical Society, p. 35.

5. Cited by Jody Blake, "Photographic Correspondence. Picture Postcards in Historical Context," in Jody Blake and Jeannette Lasansky, *Rural Delivery, Real Photo Postcards from Central Pennsylvania 1905-1935*, Union County Historical Society, p. 35.

6. Office of Inspector General, United States Postal Service, *Rural And Urban Origins of the US Postal Service*, Report Number RISC-WP-19-007 | August 26, 2019.

6. Office of Inspector General, United States Postal Service, *Rural and Urban Origins of the US Postal Service*, Report Number RISC-WP-19-007, August 26, 2019.

7. Ce mouvement de démocratisation s'opère dans le contexte de ce que l'historien François Brunet a qualifié de « moment Kodak ».

7. This democratization happened in a context that historian François Brunet calls "a Kodak moment."

8. Cité par George Miller, « The Kodak Model 3A, Postcard Camera and the Velox Postal », *Postcard History*, 5 septembre 2022.

8. Cited by George Miller, "The Kodak Model 3A, Postcard Camera and the Velox Postal," *Postcard History*, 2022, September 5.

9. Catalogue de Kodaks and Kodak Supplies, Rochester, N.Y. Eastman Kodak Co, 1906, p. 2-4. Cité par Rosamond B. Vaule, *As We Were: American Postcards, 1905-1930*. David R. Godine Publisher, Boston, 2004, p. 44.

9. Catalogue of Kodaks and Kodak Supplies, Rochester, N. Y. Eastman Kodak Co, 1906, p. 2-4. Cited by Rosamond B. Vaule, *As We Were, American Postcards 1905-1930*, David R. Godine Publisher, Boston, 2004, p. 44.

10. Cité par George Miller, « The Kodak Model 3A, Postcard Camera and the Velox Postal », *Postcard History*, 5 septembre 2022.

10. Cited by George Miller, "The Kodak Model 3A, Postcard Camera and the Velox Postal," *Postcard History*, 2022, September 5.

11. Peter C. Bunnell, ed., *Edward Weston on Photography*, Salt Lake City, Gibbs M. Smith, Peregrine Smith Books, 1983, p. 103-104.

11. Peter C. Bunnell, ed., *Edward Weston on Photography*, Salt Lake City, Gibbs M. Smith, Peregrine Smith Books, 1983, p. 103-104.

12. Greg Bradsher, op.cit

12. Greg Bradsher, op.cit

13. Contrairement au Kodak original, le modèle 3A proposait un ensemble de réglages. Le temps ou la durée d'exposition étaient réglables.

13. Contrary to the original Kodak camera, the 3A model boasted a range of settings. Time or exposure could both be set.

14. op.cit. p.39

14. op.cit. p.39

15. Alfred Stieglitz, « *Pictorial Photography* », *Scribners Magazine*, nov. 1899. In Trachtenberg, Classic Essays on Photographs. P 117.

15. Alfred Stieglitz, 'Pictorial Photography', *Scribners Magazine*, nov. 1899. *In* Trachtenberg, *Classic Essays on Photography*. P. 117.

16. Lucy Sante, *Folk Photography*, 2022.

16. Lucy Sante, *Folk Photography*, 2022.

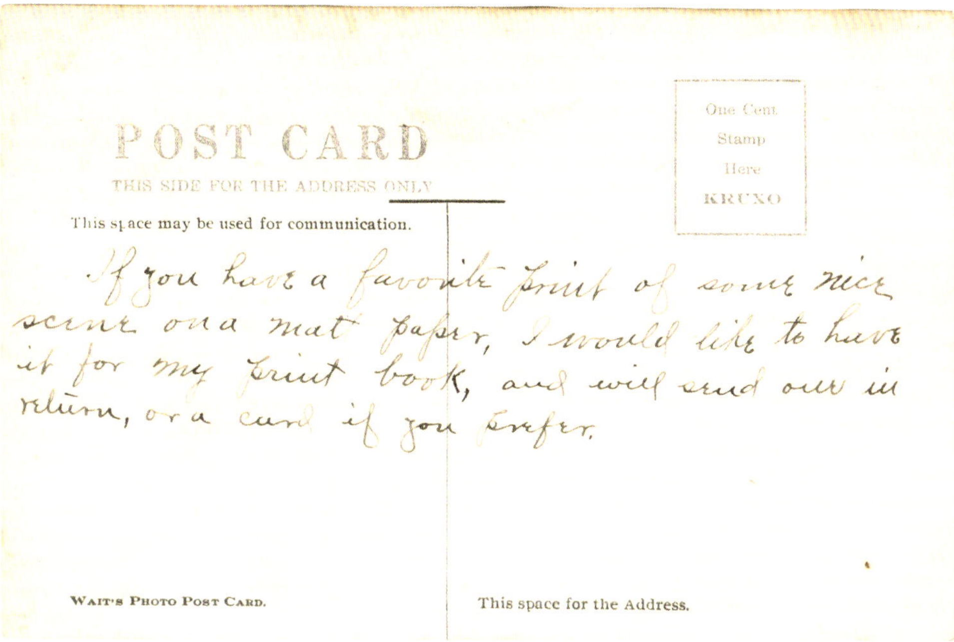
POST CARD
THIS SIDE FOR THE ADDRESS ONLY
This space may be used for communication.
One Cent Stamp Here KRUXO
If you have a favorite print of some nice scene on a mat paper, I would like to have it for my print book, and will send one in return, or a card if you prefer.
WAIT'S PHOTO POST CARD.
This space for the Address.

STILSON
Sold
Miller & Son
KELLOGG
SHOES
GERVAIS
WORN TWO YEARS

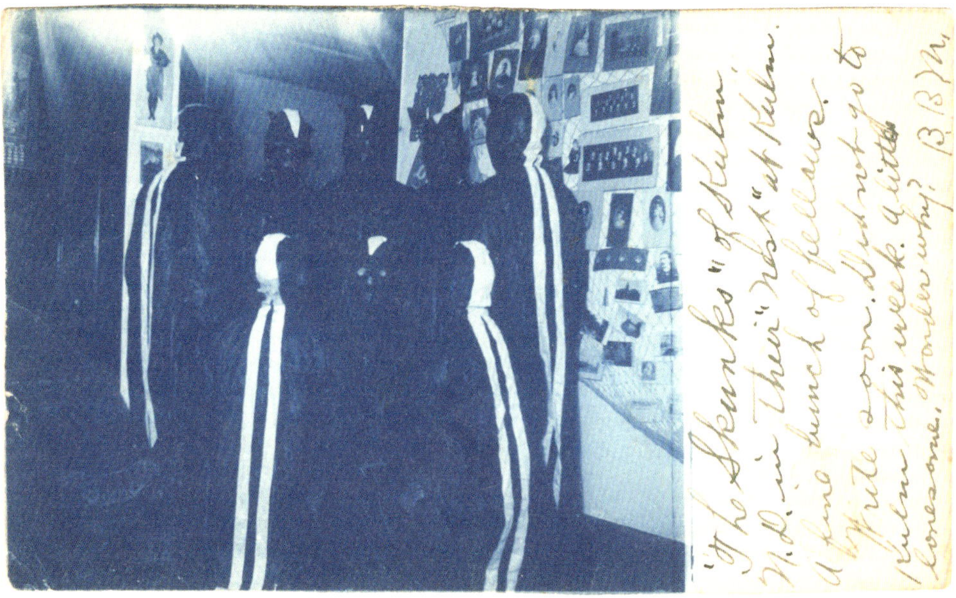

NONPAREIL CHERRIES
From Vaca Valley Orchard, Vacaville, Cal.
GROWN AND PACKED BY
THE EARL FRUIT COMPANY
Earl Fruit Company
Earl Fruit Company
Earl Fruit Company

There is no vegetation here
This used to be a very active mining camp
"The Row" Keswick, Calif.
I once lived in the second cottage in the foreground.

Sand boards along
Columbia river

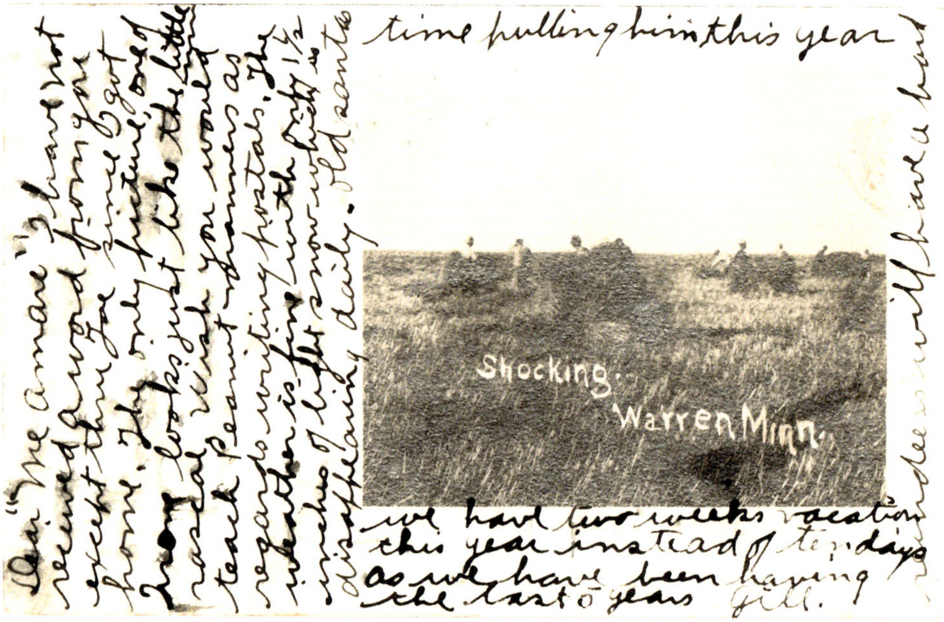
Shocking.
Warren Minn.
time pulling him this year
we had two weeks vacation this year instead of ten days as we have been having the last 5 years

Dear Cousin:- Will send you a view of our Main St. Beat this if you can. How are all the folks and why don't you write. Ma is looking for a letter every day.
From cousin, Pearl Young.

I.S. N.W. C.C. S.B. P.L.

11/16 1906

Dear Ida, I did not know the other day where Lena was. Talked with her yesterday. She expects to go to Anamosa about the middle of next week. Wanted to know if you were not going down there on your way home. Yesterday was quite warm. Very chilly east wind today. Had a little flurry of snow in the night. Lena said that Mrs. D. Ryan told her P.L. was to marry some one out in Kalispell. I was not to tell so you must not tell either. Maybe it is only rumor. With love C.H.C.

A common sight here. How was your institute work? Weather very warm of late. Oh! for a day at Devils Lake. I miss it so much. TRA

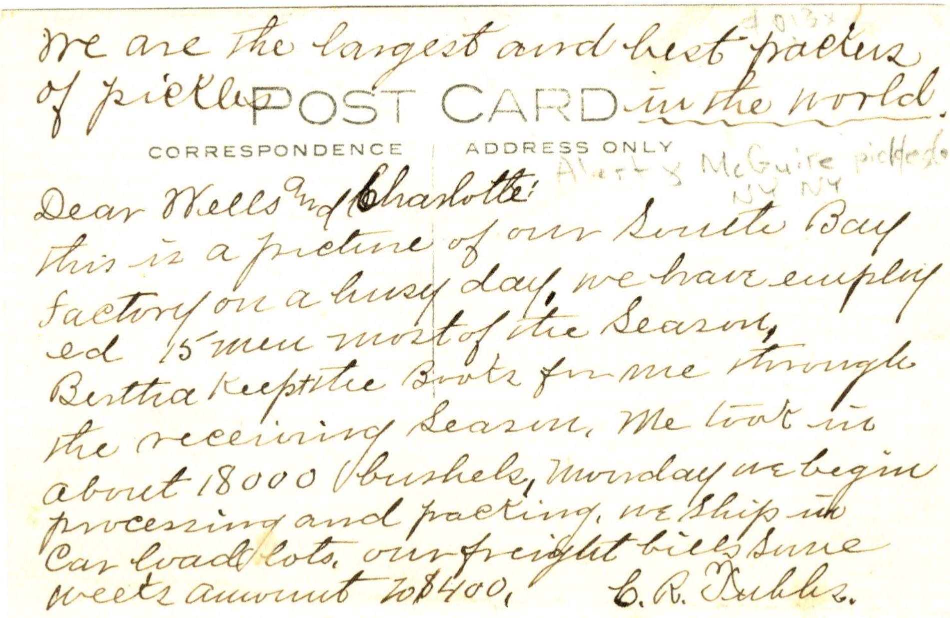

We are the largest and best packers of pickles in the world.

POST CARD

CORRESPONDENCE | ADDRESS ONLY

Alart & McGuire pickles NY NY

Dear Wells and Charlotte:
this is a picture of our South Bay factory on a busy day, we have employed 15 men most of the Season, Bertha Keeps the Books for me through the receiving Season. We took in about 18000 bushels, Monday we begin processing and packing, we Ship in Car load lots. our freight bills Some weeks amount to $400.
C. R. Dibbles.

CYCLONE AT NEILLSVILLE, WIS., JULY 3-1907.
This will give some idea of the appearance of the country in the strip over which the tornado passed. On this farm alone about $6500 damage was done in a few seconds.

VIEW SHOWING THE MANIAC HAD PLENTY OF FARM IMPLEMENTS
BATH. MICH MAY 18-1927
PHOTO BY L. WALDRON. GRAND LEDGE.

LAND OFFICE
U-S COMMISSIONER

Dear Cousin Sarah,

This is my first attempt at making postal cards myself. It is the view straight across from our cottage. I will send you one of the cottage soon. We expect Cousin Anna Carpenter and her mother this afternoon to visit us for a day or two.

With much love,
Elizabeth

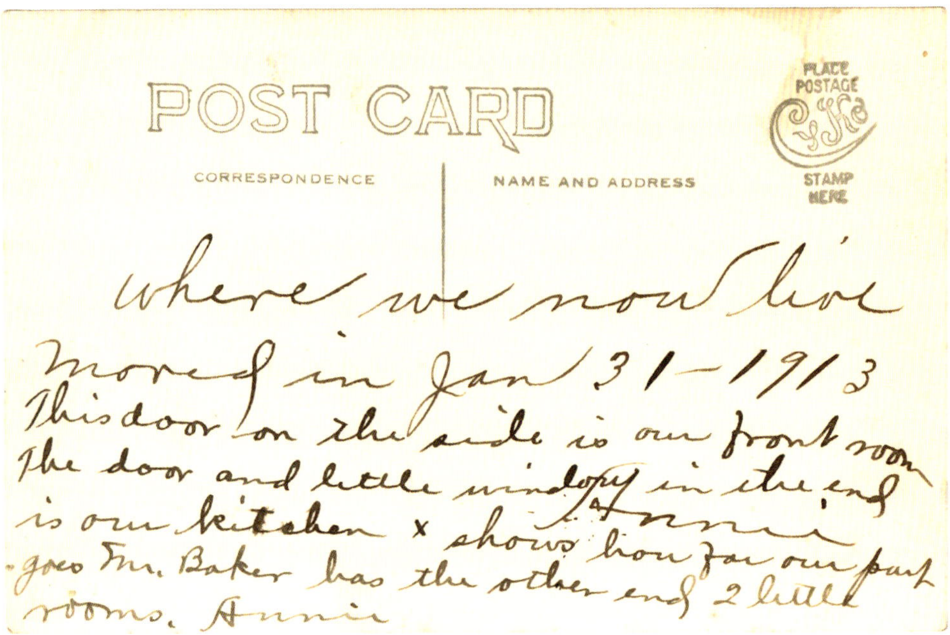
POST CARD

CORRESPONDENCE

NAME AND ADDRESS

PLACE POSTAGE STAMP HERE

where we now live
moved in Jan 31-1913
This door on the side is our front room
The door and little windows in the end
is our kitchen x shows how far our part
goes Mr. Baker has the other end 2 little
rooms. Annie

Meal time

The New Red Barn

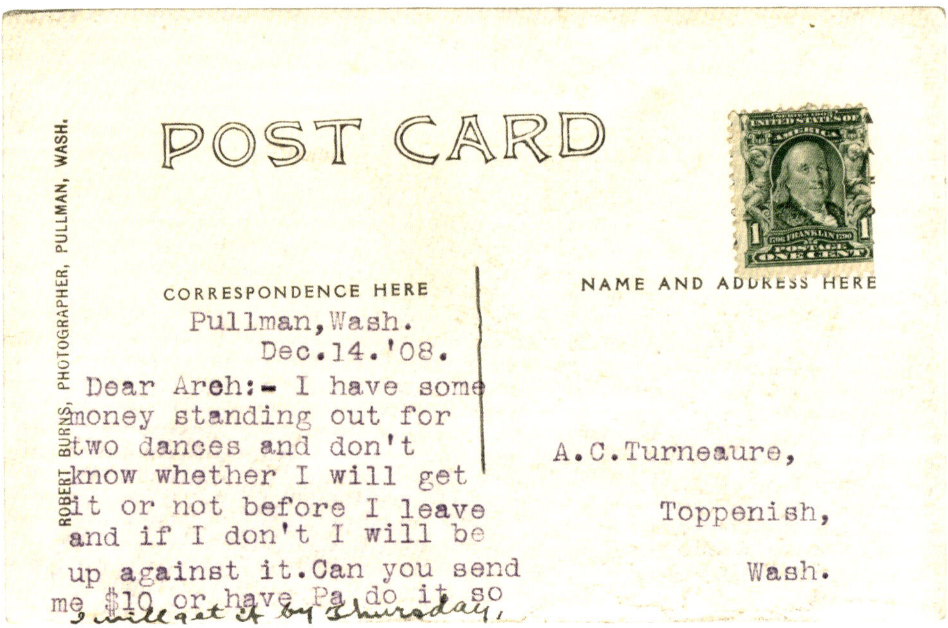

POST CARD

ROBERT BURNS, PHOTOGRAPHER, PULLMAN, WASH.

CORRESPONDENCE HERE

Pullman,Wash.
Dec.14.'08.

Dear Arch:- I have some money standing out for two dances and don't know whether I will get it or not before I leave and if I don't I will be up against it.Can you send me $10 or have Pa do it so I will get it by Thursday.

NAME AND ADDRESS HERE

A.C.Turneaure,
Toppenish,
Wash.

We are the largest and best packers of pickles POST CARD in the world.

CORRESPONDENCE | ADDRESS ONLY

40138

Alart & McGuire pickles
NY NY

Dear Wells and Charlotte:
this is a picture of our South Bay factory on a busy day, we have employed 15 men most of the Season, Bertha Kept the Books for me through the receiving Season. We took in about 18000 bushels, Monday we begin processing and packing. we Ship in Car load lots. our freight bills Some weeks amount to $400.

C. R. Dubbs.

Some Dry Land Crop
In Colorado

MORNING
AFTER CHRISTMAS

Magnazitemine
Bunk Houses
X-Lumber Flume
OilHouse
Machine Shop
RockCrusher
Power House

May 10 1915

AWAITING SPRING

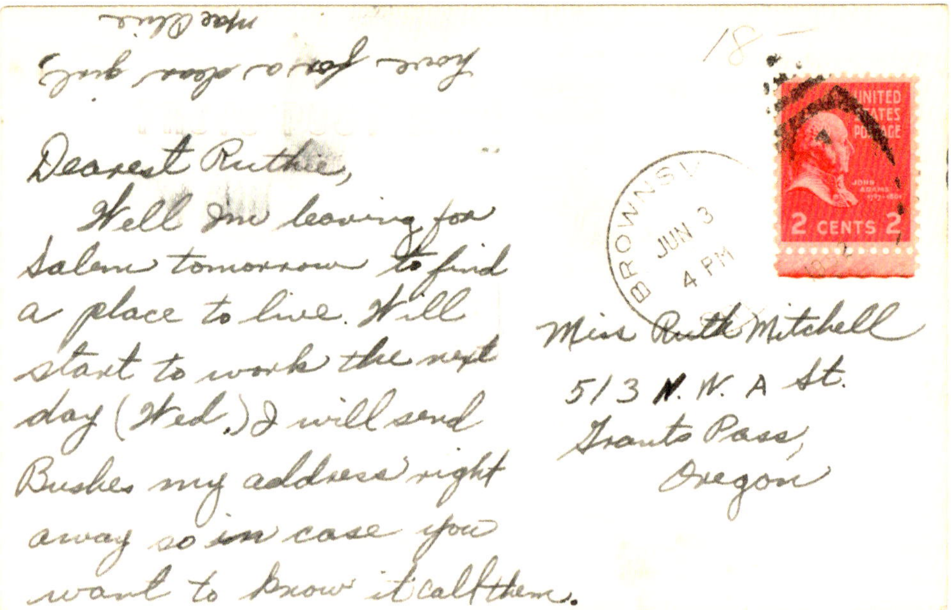
Love for a dear girl

Dearest Ruthie,
Well I'm leaving for Salem tomorrow to find a place to live. Will start to work the next day (Wed.) I will send Bushes my address right away so in case you want to know it call them.

18

BROWNSVILLE JUN 3 4 PM

UNITED STATES POSTAGE JOHN ADAMS 2 CENTS 2

Miss Ruth Mitchell
513 N. W. A St.
Grants Pass,
Oregon

Joe Lincoln's book "Shavings" was written here.

Val. ... 30.11/06

I haven't heard from you for some time so thought you had went out of existence. I here send you a picture of Mama I suppose you recognize her and the old hotel. How were those pictures you took of us and our home? I hope they were good. Mama sends best regards and says she is waiting to hear from you

Yours SJ

POST CARD

CORRESPONDENCE

NAME AND ADDRESS

ALLENTOWN, PA. JUL 18 12 - M 1912

U.S. POSTAGE ONE CENT

Am in Allentown yet but will leave this morning around 10 Magie & Esther & Francis just left to go to their picnic at Island Park close to Easton They go on a excursion

Mrs. Eva E. Eyrich

Mrs. A. H. Ackley
Elverson
Chester Co.
Pa

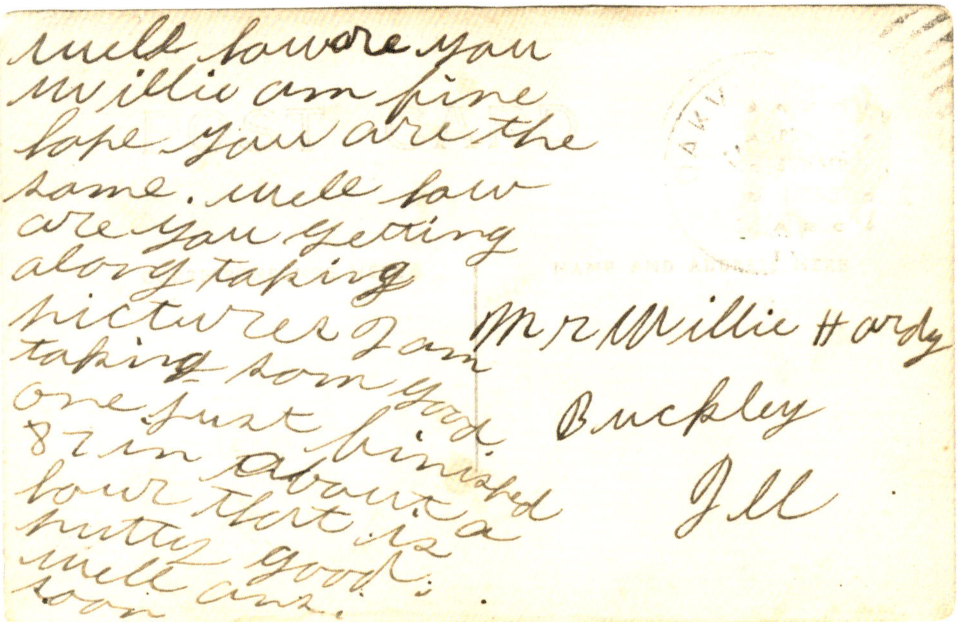
well how are you
we willie am fine
hope you are the
same. well how
are you getting
along taking
pictures I am
taking som good
one just finished
87 in about a
hour that is a
pretty good
well ans.
soon

Mr Willie Hardy
Buckley
Ill

POST CARD
CORRESPONDENCE
NAME AND ADDRESS
FEB 26
6:30 PM
U.S. POSTAGE
ONE CENT
Ben Welch
Sharon
Mass

2 KILLED
DEWITT IA.

Road that leads Home."
Kester Photo.

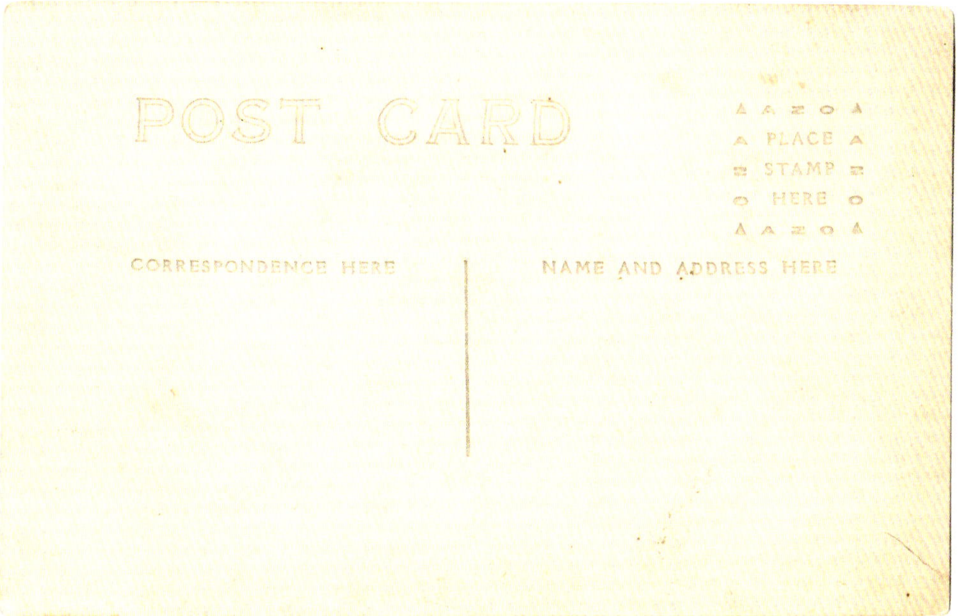
POST CARD
PLACE STAMP HERE
CORRESPONDENCE HERE
NAME AND ADDRESS HERE

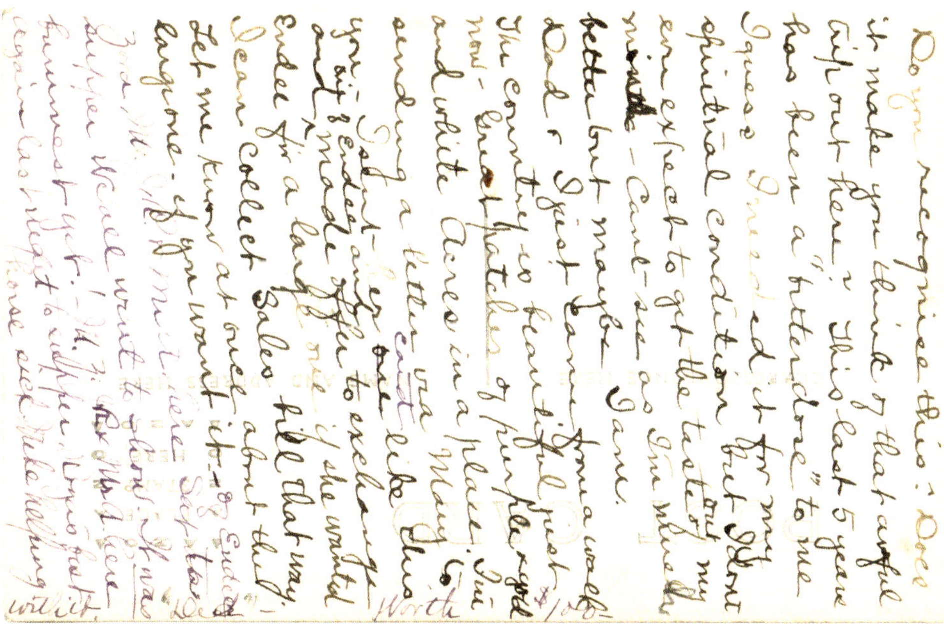
Do you recognize this? Does it make you think of that awful trip out here? This last 5 years has been a "hitterdone" to me I guess. I needed it for my spiritual condition but I don't ever expect to get the taste out of my mouth - Can't see as I'm much better but maybe. Jane.
Worth $1.00
willit.

POST CARD

CORVALLIS 24 APR 1916 OREGON

Mrs Johnson
Dear Friend: Regarding
the pants you ordered for Jack
We are only able to have
them Tailor made and
the Firm we wrote to said
it would cost considerable
(probaly $7.00 or $8.00) We did
not feel like ordering them
untill we asked you about it
Thanking you very kindly
for past favors we remain
very respectfully yours
[illegible] & Son

Mrs Mary Johnson
Woodburn
Oreg

why Cant you come up next
month ? I'd

CORRESPONDENCE
NAME AND ADDRESS
PLACE
STAMP
HERE

TOLEDO

"Home, Sweet Home"

Farm Machinery Covered By Drifted Dust
X Shows Location Of a Tractor
Stovall Studio, Dodge City, Kansas #15

CRIB OF CORN VICINTY OF FERGUS FALLS, MINN OXLEY

Luce Lebart

Désastres

Des maisons et des poteaux télégraphiques flottent sur un lac géant, tandis que des planches en errance et des véhicules renversés naviguent sur l'eau sombre... Cette scène d'inondation a été photographiée près de Plymouth, dans le New Hampshire, en novembre 1927. C'est ce qu'indique la légende figurant dans l'image, en lettres capitales blanches. La photographie est signée par un professionnel, N. G. Hikel et a été diffusée en masse. C'est le cas de nombreuses cartes postales photographiques de désastres ou de catastrophes.

Ces événements funestes sont une manne pour certains photographes, qui en tirent profit en les produisant en quantité avant de les commercialiser. Chacun peut ainsi les partager avec des proches plus ou moins lointains, ou encore les collectionner. Ces images postales sont parfois assorties de quelques mots. Ceux-ci peuvent être rassurants, tels que « Je vais bien », « Je n'étais pas loin et je suis allé voir », ou simplement informatifs : « Voici ce qu'il reste de la grange. »

Ici, l'incendie d'un garage ou celui d'un immeuble ; là, le déraillement d'un train ou encore les dégâts matériels ou humains causés par un cyclone, une tornade, une tempête ou

Disasters

Houses and telegraph poles float on a giant lake, while scattered boards and overturned cars drift on the darkened water. This flood scene was photographed near Plymouth, New Hampshire, in 1927, according to the caption in white capital letters printed within the image. The photograph was taken by a professional, N. G. Hikel, and mass published. This was the case of many real photo postcards of natural disasters and accidents.

Such fatal events were a godsend to certain photographers who made a profit by bulk-printing images of them for sale. People could then share the postcards with friends and relatives or collect them. At times, the posted images are accompanied by a few words. These inscriptions are sometimes reassuring, such as "I'm OK" or "I was nearby and went to see," and sometimes simply informative: "This is what's left of the barn"; "The store was under four feet of water"; "We don't know how many died yet."

Here, a garage or building fire; there, a train derailment or the loss of property and life caused by a hurricane, a tornado, a thunderstorm, an avalanche.

une avalanche. Le photographe arrive le plus souvent après l'évènement et en constate les dégâts. Parfois miraculeusement présent, il enregistre le nuage de poussière, l'éclair ou encore l'incendie, sa fumée et ses flammes, et les pompiers qui s'activent à les étouffer.

Lorsque l'engouement pour les cartes postales photographiques s'empare de l'Amérique rurale au début du XXe siècle, les images photographiques commencent tout juste, grâce à la similigravure, à s'immiscer dans les textes des journaux. À la même époque, en 1905, les services postaux mettent en placent un tarif extrêmement favorable à l'envoi de cartes photos (de l'ordre de un penny). À cette mesure s'ajoute l'instauration, en 1906, du principe de *rural free delivery*. Pour accéder à leur courrier, ceux qui habitent loin des villes n'ont désormais plus à se rendre au bureau de poste lointain qui leur est attribué. On peut désormais recevoir des images postales chez soi. C'est alors le moyen le plus rapide de faire parvenir de l'information, de « l'actualité en images » dans les campagnes. Les photographes en eurent l'intuition lorsqu'ils stimulèrent l'utilisation de la carte photo dans ce sens, bien avant que la radio ne pénètre les foyers.

The photographer usually arrives after the fact and records the damage. Sometimes, miraculously present, he captures the cloud of dust, lightning bolt, or fire, its smoke and flames and the firefighters trying to extinguish them.

When the craze for picture postcards swept through rural America at the beginning of the twentieth century, photographic images had just begun to slowly appear in newspapers articles thanks to half-tone engraving. During the same period, in 1905, the Postal Service established an extremely favorable rate for sending postcards (at about a penny a piece). This was accompanied, in 1906, by the universal introduction of the Rural Free Delivery program. People who lived far from cities no longer had to travel to a distant post office to get their mail. It was now possible to receive postcards at home. This became the fastest way of transmitting information—"the news in pictures"—to the countryside. Photographers intuited this as they promoted such a use of real photo postcards, long before radio made its way into American homes.

FLOOD SCENES about Plymouth
November 1927

1-16-18

9

SCENE WHERE MAN WAS
KILLED UNDER BUNK CAR
IN BOONE IA TORNADO
MAY 21 1918

Pascoes Home
More Slide
Poscoes Home
dead Mr Pascoe.
Inas Pascoe.
5033

Index

51 *Stage of the Antlers Theatre,* Roseburg, Oregon, USA, December 1910.

52 *Preachers,* Central City, Nebraska, USA, 1911.

53 *Hole in the Wall,* North America, 1904-1918.

55 *Posters for Christy Bros. Circus,* USA, 1912.

57 *Gallatin Range Train Tracks,* Wyoming, USA, 1904-1929.

58 *Candy Salesman's Travel Case,* Manchester, Connecticut, 1907-1917.

59 *General Store Interior,* North America, 1904-1929.

61 *Mannequin Outside Antiques Store,* Moscow, Michigan, USA, 1925-1942.

63 *Cobblers in Workshop,* Columbus, Ohio, USA, May 1912.

Boynton & Ellis Hardware Store, Claremont, New Hampshire, USA, 26 February 1910.

Dry Goods Store Interior, Peterborough, Ontario, Canada, 26 January 1909.

64 *Rook's Tin Shop,* North America, 1904-1918.

Seated Dog in General Store, North America, 1905-1908.

Chase's Home Bakery, Johnson City, New York, USA, 1907-1917.

65 *Wake Brothers Clothing Store,* Cattaraugus, New York, USA, 13 December 1907.

4th of July Celebrations in Saloon, Brushvale, Minnesota, USA, 1908-1914.

Store Closing Sign, Bush Prairie, Washington, USA, 25 October 1912.

66 *Crate of Schlitz Beer on Porch,* USA, 1904-1918.

67 *Man in Front of Clothing Acessory Store,* USA, 1904-1918.

69 *Illinois State Road No. 8,* Sheldon, Illinois, USA, 1925-1942.

70 *Dam,* North America, 1905-1908.

71 *Man and Child with Wood Cart,* North America, 1904-1918.

73 *Debris Filled Street Scene,* Gyrgla, Minnesota, USA, 1911-1922.

75 *Appalachian Mountain Club Camp,* Carter Notch, White Mountains, New Hampshire, USA, 1904-1918.

77 *Man on the doorstep of House,* Washington, Ohio, USA, 1900-1930.

78 *Homestead,* Hoopeston, Illinois, USA, 10 November 1919.

79 *Man Leaning on Fence,* Fostoria, Ohio, USA, 1900-1930.

81 *Food in Storage,* North America, 1904-1929.

83 *"The Mortgage Lifters" Potatoes,* Elsie, Michigan, USA, 1904-1918.

84 *Potato Harvest,* Urbana, Ohio, USA, 1908.

Farmers with Pitchforks, North America, 1904-1929.

Melon Field, North America, 1910-1930.

85 *"A Small Load of Spuds",* Superior, Nebraska, USA, 23 October 1909.

Freak Potatoes, Naches, Washington, USA, 1904-1918.

Seedlings in Greenhouse, North America, 1904-1918.

87 *Farming Couple with Harvest,* North America, 1904-1918.

88 *Barron Street Fair Apple and Needlework Display,* Rice Lake, Wisconsin, USA, 1912.

Poultry Delivery, Adair, Iowa, USA, 1912.

Farm Family Harvesting Potatoes, North America, 1904-1918.

89 *Men with Iroquois Steam Roller,* Buffalo, New York, USA, 1906.

Greenhouse, North America, 1907-1917.

Farmer's Field, Nechako Valley, British Columbia, Canada, 1907-1914.

91 *Auction Sale on the Farm,* Superior, Nebraska, USA, 1900-1907.

149 *Staff Outside of Alart & McGuire's Pickle Factory,* South Bay, New York, USA, c.1912.

Farmers Neck Deep in Wheat Field, Colorado Springs, Colorado, USA, 7 August 1914.

150 *Oil Field Workers on Boxing Day,* North America, 1920-1930.

Magnesite Mine Town, Piedra, California, USA, 1907-1917.

151 *Log Cabin and Smouldering Fire,* Valley City, North Dakota, USA, 10 May 1915.

Awaiting Spring, Prince Albert, Saskatchewan, Canada, 1911.

152 *Rye Grass in Fry Warehouse,* Harrisburg Oregon, USA, 3 June 1952.

Shavings Shop and Owner, Cape Cod, Chatham, Massachussetts, USA, 1920.

153 *Native American Woman Outside Wooden Home,* Valle Vista, California, USA, 1906.

"Rooster Andy" and Hens, Allentown, Pennsylvania, 18 July 1912.

154 *Seed Corn Display at Reeb Brothers Store,* USA, 1904-1918.

"Wapsie" Wapsipinicon River, McIntire, Iowa, USA, 1904-1918.

155 *Boynton & Ellis Hardware Store,* Claremont, New Hampshire, 26 February 1910.

Train Wreck and Derailment Aftermath, Dewitt, Iowa, USA, 23 April 1908.

156 *Gate House,* York, Pennsylvania, USA, 22 March 1905.

"The Road That Leads Home", North America, 1904-1918.

157 *Domestic Interior,* North America, 1904-1918.

Scene South of Boise, Oldham County, Texas, USA, 1904-1918.

158 *Stilson-Kellogg Shoes for Sale,* Gervais, Oregon, USA, 24 April 1916.

"Ten Thousand Ducks", Klamath Falls, Oregon, USA, 11 September 1944.

159 *Rural Field View,* Macwahoc Plantation, Maine, USA, 1910.

Smoke Cloud, North America, 1904-1929.

160 *Butcher Shop Interior,* St. Louis, Missouri, USA, 26 December 1910.

"Home Sweet Home" Farmhouse and Barn, Fairchild, Montana, USA, 16 October 1915.

161 *"Farm Machinery Covered by Drifted Dust",* Dodge City, Kansas, USA, 1930-1950.

"Crib of Corn", Fergus Falls, Minnesota, USA, c.1910.

165 *"Flood Scenes",* Plymouth, New Hampshire, USA, November 1927.

166 *"Burning of Andersen Garage",* Pierce, Nebraska, USA, 16 January 1918.

167 *Building on Fire,* North America, 1905-1909.

168 *"The Boiler From Boat That Went Through the House",* North America, 26 March 1922.

169 *Industrial Fire,* North America, 1904-1918.

170 *Disaster Aftermath,* Pennsylvania, USA, 1904-1929.

171 *The Marshall, Wood & Riley Co. Fire,* Plattsburgh, New York, USA,1 April 1922.

172 *Tornado Damage,* Boone, Iowa, USA, 21 May 1918.

173 *Pile of Debris After the Flood,* Bisbee, North Dakota, USA, 1907-1917.

175 *Homestead Destroyed by Mudslide,* Idaho, USA, 1904-1918.

Bibliographie sélective
Selected Bibliography

STAFF FRANK, *The Picture Postcard and Its Origins*, Lutterworth Press, London, 1966.

MORGAN HAL ET BROWN ANDREAS, *Prairies Fires and Paper Moons. The American Photographic Postcard: 1900-1920*, Boston, David R. Godine Publisher, 1981.

BROWN Andreas et DEGUY Michel, *L'Amérique au fil des jours, cartes postales photographiques, 1900-1920*, Paris, Centre national de la photographie, 1983.

COVINGTON ERNEST G., *"Dating post 1920 real photo postcards", in Postcard Collector*, July 1986, pages 26-28, 1986.

GIBBS George C., *The Real Photo Locator*, Latham, NY, Historic Originals, 1987.

SMITH Jack H., *Postcard Companion. The Collector's Reference*, Radnor, PA, Wallace Homstead Book Co, 1989.

ALLMEN, Diane, *Official Price Guide to Postcards*, New York, House of Collectibles, 1990.

BROWN NICHOLSON Susan, *The Encyclopedia of Antique Postcards*, Radnor, PA, Wallace Homestead Book Co, 1994.

BLAKE Jody et LASANSKY Jeannette, *Rural Delivery: Real Photo Postcards from Central Pennsylvania*, 1905-1935, Lewisburg, PA, Union County Historical Society, 1996.

BRAYER Elizabeth, *George Eastman: A Biography*, Baltimore et Londres, John Hopkins University Press, 1996.

CHIEN David, *About 85 Years Ago: Photo Postcards from America (circa 1907-1920)*, Niwot, Roberts Rinehart Publishers, 1997.

BOGDAN Robert, *Exposing the Wilderness. Early-Twentieth-Century Adirondack Postcard Photographers*, Syracuse, Syracuse University Press, 1999.

THOMSON David, *Dry Hole*, Môrel & AMC, *2022*.

MCANDREWS Edward, *The American Indian Photo Post Card Book*, Los Angeles, Big Heart Publishing Company, 2002.

VAULE Rosamond B., *As We Were: American Photographic Postcards (1905-1930)*, Boston, David R. Godine Publisher, 2004.

TULCENSKY Harvey et WOLFF Laetitia, *Realphoto Postcards. Unbelievable Images From the Collection of Harvey Tulcensky*, Princetown Architectural Press, 2005.

BOGDAN Robert et WESELOH Todd, *Real Photo Postcard Guide: The People's Photography*, Syracuse, NY, Syracuse University Press, 2006.

ROWE Jeremy, *Arizona Real Photo Postcards: A History and Portfolio*, Carl Mautz Publishing, 2006.

ARLUKE Arnold et Bogdan Robert, *Beauty and The Beast. Human-Animal Relations as Revealed in Real Photo Postcards, 1905-1935*, Syracuse University Press, 2010.

CONLEY Peggy Leyva, *Scenes of American Landscape: Poetry-Photography-Folklore*, July 12, 2017.

PAREE Tony G., *Real Photo Postcards of Wheeling*, W. VA, Dec. 11, 2019.

WILSON Kenneth, *Snapshots and Short Notes: Images and Messages of Early Twentieth-Century Photo Postcards*, Southwestern Historical Quarterly, August 26, 2020.

KLICH Lynda et WEISS Benjamin (coll.), *Real Photo Postcards: Pictures From a Changing Nation. (The Leonard A. Lauder Archive)*, MFA Boston, 2022.

SANTE Lucy, *Folk Photography: The American Real Photo Postcard 1905-1930*, (first edition: Yeti Books, 2009). Verse Chorus Press LLC, Portland, OR, The Visible Spectrum, 2022.

Will Write Soon
par / by David Thomson

Textes / texts
Luce Lebart & David Thomson

Traductions / Translations
Margie Rynn
Hélène Wilkinson

Relecture / Proofreading
Sophie Legendre

Photogravure / Lithography
Sten Lena

Remerciements / Thanks
Olivia Bishop, Clément Chéroux,
Géraldine Chouard, Adèle Delefosse,
Kalev Erickson, David Franklin, Parker Kay,
Jean Kempf, Ludovic Lebart, Marie-Claude
Lebart, Séverine Nackers, Helen Olcott, Lizzie
Powel, Timothy Prus, Solange Reboul,
Michelle Wilson

Publié par / published by
Archive of Modern Conflict
& GwinZegal

Expositions / exhibitions
Centre d'art GwinZegal,
Guingamp, 2024
Musée Nicéphore Niépce,
Chalon-sur-Saône, 2025
Centre national de l'audiovisuel Luxembourg,
Dudelange, 2026

GwinZegal
4, rue Auguste–Pavie
F-22200 Guingamp

GwinZegal bénéficie du soutien de /
GwinZegal is supported by

la Direction régionale des affaires
culturelles de Bretagne,
la Région Bretagne,
Conseil départemental des Côtes-d'Armor,
Guingamp-Paimpol agglomération
la Ville de Guingamp.

Première édition février 2024

Dépôt Légal : mars 2025
Impression : SYL
ISBN : 9791094060445